DNA
EMPRESARIAL

*Identidade corporativa
como referência estratégica*

Lígia Fascioni

DNA
EMPRESARIAL
*Identidade corporativa
como referência estratégica*

Integrare
EDITORA

Copyright © 2010 Lígia Fascioni
Copyright © 2010 Integrare Editora e Livraria Ltda.

Publisher
Maurício Machado

Supervisora Editorial
Luciana M. Tiba

Coordenação e produção editorial
Editora Longarina

Copidesque
Fernando Alves

Revisão
Renato Pinto

Projeto Gráfico de Miolo e Diagramação
Bruno Sales

Projeto Gráfico de Capa
Aero Comunicação

Fotógrafo
Michel Téo Sin

Dados Internacionais de Catalogação na Publicação (CIP)
(Câmara Brasileira do Livro, SP, Brasil)

Fascioni, Lígia
  DNA empresarial : identidade corporativa como referência estratégica / Lígia Fascioni. -- São Paulo : Integrare Editora, 2010.

  Bibliografia.
  ISBN 978-85-99362-60-0

  1. Administração de empresas - Metodologia 2. Empresas - Imagem 3. Gestão integrada da Identidade Corporativa 4. Marketing 5. Planejamento estratégico I. Título.

10-12155   CDD-658.4092

Índices para catálogo sistemático:

1. Identidade corporativa : Administração de empresas   658.4092

Todos os direitos reservados à INTEGRARE EDITORA E LIVRARIA LTDA.
Rua Tabapuã, 1.123, 7o andar, cj. 71/74
CEP 04533-014 – São Paulo – SP – Brasil
Tel. (55) (11) 3562-8590
Visite nosso site: www.integrareeditora.com.br

Ao amor da minha vida, Conrado.

Agradecimentos

Agradeço aos meus pais por ter vivido sempre cercada por livros.

Agradeço ao tio Melo e à tia Nádia, que me ajudaram no começo e continuam comigo até hoje.

Agradeço à equipe de Instrumentos de Gestão do IEL/SC pela cooperação durante o desenvolvimento do método.

Agradeço a todos os meus clientes e seus colaboradores, que contribuíram para o aprimoramento do método.

"É uma ferramenta inovadora e essencial para uma empresa que se preocupa com a coerência de sua imagem. Além disso, o Relatório da Identidade Corporativa é um importante instrumento de apoio à tomada de decisão e fornece informações muito úteis ao planejamento estratégico da empresa."
Adolfo César dos Santos,
Diretor Presidente da TAC — Tecnologia Automotiva Catarinense

"Uma empresa precisa em primeiro lugar se conhecer, para então pensar em como se apresentar para o mercado. O workshop* *permitiu a construção dos alicerces necessários para nosso crescimento de forma condizente com nossa essência, repercutindo diretamente na nossa imagem."*
Fernando Peixoto,
Diretor da Pixeon

---

* Trabalho desenvolvido pela autora com base no método apresentado nesta publicação.

"Podemos considerar que a identidade corporativa influenciou bastante no planejamento estratégico da empresa. As ações são mais alinhadas ao que realmente somos e não a como achávamos que éramos. O plano flui melhor, é mais bem entendido e o pessoal corresponde mais às expectativas traçadas. Realmente, houve transformações na empresa depois de entendermos melhor a nossa identidade."
Mauro Pacheco Ferreira,
Diretor da AQX

"Para uma empresa nascente como a Sofshore, com menos de um ano de vida, definir a identidade foi muito importante. A declaração de identidade foi e continua sendo usada para definir de forma coerente vários aspectos da empresa, da identidade visual até a decoração do nosso ambiente de trabalho, passando pela gestão dos recursos humanos. Agora, temos certeza e orgulho de quem somos."
Achille Carette,
Diretor da Sofshore

"A eficácia e pertinência do método se ratificam-se a cada dia, certificando-nos da sua completa adequação às necessidades da gestão empresarial contemporânea, pois é fato que também as pessoas jurídicas precisam desenvolver o autoconhecimento, como etapa decisiva do seu processo de amadurecimento e para um correto posicionamento no ambiente competitivo em que inserem."
Cláudio Dutra,
Diretor Superintendente da Marcca Comunicação

"Para a imagem da Del Mondo, o GIIC® está sendo um divisor de águas. O workshop *nos deu mais que uma declaração de identidade. Além de ter motivado e integrado ainda mais a equipe, trouxe à luz atributos que nem nós mesmos sabíamos que estavam consolidados e desvendou várias oportunidades de melhorarmos nossa empresa. Como consequência real, já estamos trabalhando na reformulação de nossa marca, para adequá-la a nossa essência. Acreditamos tanto no GIIC® como ferramenta estratégica de gestão que já fizemos com a Lígia Fascioni uma parceria e o incluímos no portfólio de serviços que oferecemos aos nossos clientes."*
Fábio Cunha,
Diretor da Del Mondo Estratégias de Comunicação

"Nós da Agriness acreditamos que a definição clara da identidade corporativa de uma empresa é um pré-requisito para o seu desenvolvimento. Se a empresa não tem clareza sobre quem ela é, dificilmente ela será assertiva na sua comunicação com o mercado e com seus clientes. O trabalho de Gestão Integrada da Identidade Corporativa que a Lígia desenvolveu conosco há quatro anos serviu de base para a formação da nossa área de marketing e nos ajuda até hoje em todos os trabalhos de interação com o mercado. Sempre que vamos fazer alguma comunicação, seja em site, newsletters, e-mail, nos questionamos se o que estamos fazendo está coerente com a nossa identidade e com os nossos valores. Por isso, só temos que agradecer pelo trabalho da Lígia e pelo conhecimento trazido para a Agriness, que efetivamente nos ajudou e tem nos ajudado muito".
Everton Gubert,
Diretor de Negócios da Agriness – Gestão da Informação para Suinocultura

"Conhecer a Lígia já é ótimo, mas descobrir a nossa Identidade Corporativa, com o método genialmente criado por ela, é melhor ainda. As diversas dinâmicas aplicadas em um dia divertido e sério ao mesmo tempo, nos ajudou a esclarecer quem realmente somos e marcou o início de uma nova fase na Produnet. O mais importante é que estamos muito mais unidos e focados. Nos reunimos seguidamente para trocar conhecimentos, os mais diversos, mas sempre com objetivos de crescimento pessoal e profissional. Hoje, solucionamos com mais facilidade e rapidez os nossos desafios e dos nossos clientes."
João Augusto Krieger,
Diretor da Produnet

SUMÁRIO

Prólogo 15

AFINAL, QUE É IDENTIDADE CORPORATIVA?

Identidade corporativa 21

Mas, afinal, o que é identidade? 22

Sobre os atributos da identidade 29

O que o mercado quer? 34

A ética e a identidade 38

Inovadores comedidos 43

A identidade do dono é a mesma da empresa? 49

Identidade organizacional 53

E a imagem? 55

E a tal da reputação? 61

OK! Mas o que eu ganho definindo a identidade corporativa? 65

COMO DEFINIR A IDENTIDADE CORPORATIVA

Que ferramentas existem para definir a identidade? 73

Histórico do método GIIC® 79

O *WORKSHOP* DE IDENTIDADE CORPORATIVA

Todo mundo junto 87

Quem participa 88

Organização do evento 90

Regras 92

Técnicas utilizadas 94

Dinâmicas de grupo 95

Afinal, como se chega à definição da identidade 131

E para que serve? 132

Alguns detalhes sobre o *workshop* 135

Perfil do facilitador 137

CONCLUSÕES

Sobre a identidade corporativa como referência estratégica ... 145

Sobre o método GIIC® 146

Sobre o *workshop* de identidade 152

ANEXOS

Perguntas mais frequentes 159

PARA SABER MAIS

PRÓLOGO

Sabe quando a gente está na escola e a professora pergunta o que é que o pai da gente faz? Eu sempre adorava essa hora. É que o meu pai era mecânico de aviões numa época em que pouca gente tinha visto uma máquina dessas de perto (nos idos dos anos 1970). O impacto era mais ou menos como se hoje eu dissesse que meu pai era o mecânico do ônibus espacial Columbia. Confesse: você ficaria impressionado, não? Mais ainda se tivesse oito anos de idade.

Pois tendo um pai assim e sendo a filha mais velha, não pude escapar do encanto que as máquinas exercem sobre algumas pessoas; desde pequena, eu sempre queria saber como as coisas funcionavam e por quê. Este foi o caminho natural que me levou a estudar numa escola técnica e depois fazer engenharia elétrica, seguida por um mestrado na área de controle e automação industrial. Esse mundo realmente me fascinava (hoje, ainda acho que tem bastante charme), mas, depois de 12 anos programando robôs e participando de projetos ousados e inovadores, achei que não era mais o suficiente. Passei a perceber que o sucesso comercial das empresas de tecnologia onde trabalhava não era proporcional à competência técnica de suas equipes e tentei encontrar explicações para a falta de zeros no meu salário e no faturamento dessas empresas.

Desconfiava que tinha algo a ver com *marketing*, palavra que conhecia de folhear revistas de negócios e ler jornais, mas faltavam-me argumentos que fundamentassem uma discussão a respeito.

É que as empresas de tecnologia, principalmente as pequenas e incubadas, são constituídas basicamente por engenheiros. São pessoas com uma flexibilidade de conhecimentos impressionante, com capacidade para aprender qualquer coisa. Mas não são deuses (apesar de alguns pensarem que sim). Nem administradores. Nem especialistas em marketing. Nem especialistas em pessoas, em gestão, em identidade corporativa, em *design* e o que mais houver. São, principalmente, indivíduos fascinados pela tecnologia. Creem com fervor que um produto bem desenvolvido e tecnologicamente brilhante tem a capacidade de atrair compradores por si só. Administram empresas como se fossem laboratórios de desenvolvimento. É claro que estou generalizando, até porque essa atitude, mais comum entre os anos 1980 e 1990, está mudando e, na minha opinião, para melhor.

Naquela época, o que a gente queria era desenvolver o estado da arte da tecnologia; o cliente era um ser abstrato que só servia para cortar o nosso barato e atrapalhar a linha de raciocínio. Nada de plano de negócios, nada de estudos de mercado. Um produto tão sensacional não precisa dessas coisas, não é mesmo?

Será?

Foi então que resolvi fazer uma pós-graduação em marketing e um mundo novo se abriu para mim. Tem gente que participa de programas caros e aprende tanto quanto se tivesse ficado em casa assistindo novela; sequer é capaz de aproveitar a riquíssima rede de contatos (vejo isso sempre e dá bastante tristeza, pois detesto desperdício); no meu caso, porém, esse curso, que nada tinha de especial em relação aos outros, mudou minha carreira e, em última instância, minha maneira de ver o mundo.

Foi lá que as janelas se abriram para eu poder enxergar melhor: a abordagem estava toda invertida. As empresas que eu conhecia olhavam apenas para seu próprio umbigo (o mercado era um detalhe incômodo e chato). Eram portadoras da doença chamada *miopia de marketing* (LEVITT, 1960).

O contato com pessoas de outras áreas abriu meus horizontes e a empolgação continuou após a conclusão do curso, quando então fui fazer uma extensão em comunicação e propaganda. Em uma aula sobre concepção gráfica, fui apresentada aos conceitos básicos de *design* e então caí de amores pelo assunto. Descobri um doutorado em Engenharia de Produção com foco em Gestão Integrada do *Design* na Universidade Federal de Santa Catarina e me joguei.

Minha tese usou lógica difusa para estabelecer um índice que mede a diferença entre a imagem e a identidade corporativas em empresas de tecnologia instaladas na região da grande Florianópolis e durante esse trabalho aprendi coisas interessantíssimas. Depois da defesa, uma das 19 empresas que participaram da prova de conceito me procurou para solucionar o problema identificado durante o diagnóstico (mostrei que eles tinham uma distorção de imagem, mas não apresentei nenhuma solução). Foi aí que a coisa realmente pegou: os métodos acadêmicos eram tão teóricos e complexos que se tornavam inaplicáveis para empresas pequenas como aquela; os métodos comerciais, reconhecidamente eficientes, eram caros e inacessíveis.

Comecei então a desenvolver o método GIIC® – Gestão Integrada da Identidade Corporativa –, que ajuda a empresa a reconhecer e definir sua identidade e alinhar todas as suas ações e comunicações para que ela se pareça com quem realmente é.

Além das indústrias em geral, empresas de tecnologia e comércio, penso que a indústria de serviços pode ser especialmente beneficiada com as informações aqui contidas, pois vende basicamente expectativas e credibilidade, e a identidade e a imagem corporativas têm muito mais a ver com isso do que parece à primeira vista.

Por isso, este livro contribui para que empreendedores, gestores, administradores, negociantes, funcionários e todas as pessoas envolvidas em algum tipo de negócio percebam o impacto de cada gesto, ação, comunicação e percepção na construção de uma imagem sólida, clara e respeitada.

Vamos lá, então!

AFINAL, QUE É IDENTIDADE CORPORATIVA?

"A identidade é o DNA da empresa. Por isso, e não por outro motivo, toda organização é única, diferente, irrepetível. Está escrito em seus cromossomos."
Joan Costa

IDENTIDADE CORPORATIVA

Um leitor que se embrenhe em livrarias, bibliotecas e no ciberespaço, procurando por referências relacionadas ao assunto identidade corporativa, depara-se normalmente com uma confusão conceitual digna de uma feira livre: há de tudo, desde livros que usam identidade e imagem como sinônimos, até aqueles (a esmagadora maioria) que resumem o complexo tema da identidade ao *design* gráfico de marcas.

Mas, afinal, *imagem* e *identidade* são mesmo nomes diferentes para o mesmo conceito? Eles têm relação com design gráfico? E o que a tal de logomarca tem a ver com isso?

Bem, vamos responder por partes.

MAS, AFINAL, QUE É IDENTIDADE?

Uma rápida busca em qualquer dicionário *on-line* atestará que identidade é o conjunto de características que torna alguém único no mundo, diferente de todos os demais humanos vivos e mortos. A identidade de alguém pode ser comprovada por um exame de DNA[1], que é o conjunto de informações genéticas contido na estrutura de moléculas orgânicas de cada pessoa, que a faz especial e distinta de todas as demais.

Essa diferenciação física tem o seu equivalente psicológico no conjunto de características que definem o caráter de alguém. Numa empresa, pode-se usar a mesma metáfora: o seu caráter é definido por um conjunto de atributos bem próprios, que nenhuma outra empresa possui. É o que se poderia chamar de DNA corporativo.

Com isso, já deu para ver que nem mesmo um mago dos negócios pode redesenhar, turbinar, modificar, projetar ou modernizar a identidade de uma empresa, a não ser que ele seja dado a manipulações genéticas avançadas.

A identidade é o DNA da empresa: o conjunto de atributos que a faz única, diferente de todas as outras.

E tem mais: uma marca gráfica (que alguns chamam de *logomarca*[2]) não é nem faz parte da essência da identidade corporativa. Há uma confusão enorme de termos, misturando inclusive identidade com marca.

---

1. DNA: *DeoxyriboNucleic Acid* ou ácido Desoxirribonucléico.
2. A palavra *logomarca* é um neologismo sem fundamentação técnica nem etimológica, conforme explica Ana Luiza Escorel (2000). Optamos por utilizar neste livro a expressão *marca gráfica* para nos referirmos ao nome da empresa acompanhado ou não de um símbolo.

MARCA E IDENTIDADE CORPORATIVA SÃO A MESMA COISA?

Pois é! Tem muita gente boa que acha que sim. Que o conceito de identidade corporativa já é coisa do passado, que agora o negócio é marca corporativa. E não é qualquer zezinho que está dizendo isso não!

O respeitadíssimo John Balmer (1997), um dos fundadores do *International Centre for Corporate Identity Studies* e uma das maiores autoridades no mundo sobre esse assunto, explica que a expressão *marca corporativa* tende a ser cada vez mais utilizada como alternativa à identidade corporativa e o uso dos princípios de gestão de marcas para discutir identidade corporativa tende a alinhar o discurso para uma direção mais próxima do marketing.

Outros três pesquisadores renomados, Harkins, Coleman e Thomas (1998, p. 35-40), declaram: "A expressão identidade corporativa tornou-se obsoleta e excluída de muitos de nossos vocabulários. (...) Marca é a última e cada vez mais utilizada expressão." Uma vantagem dessa nova abordagem é que os conceitos de identidade e de imagem corporativas não mais serão confundidos com identidade visual.

Leio isso tudo e, mesmo respeitando a autoridade dos declarantes, não posso evitar discordar.

Para mim, citando o próprio John Balmer, identidade corporativa é o que a empresa é. E isso é muito sério, tem implicações. Você não é tudo o que gostaria: tem chulé, faz malcriações, acorda de mau humor. Uma empresa também. Não conheço nenhuma que seja um ícone de idealismo virtuoso, como querem fazer parecer aqueles apoteóticos vídeos institucionais.

> E marca, que é? Ora, os publicitários o sabem muito bem: uma entidade construída para seduzir. Não estou dizendo que a marca seja uma mentira. O que digo é que a marca escolhe as características mais legais da identidade para encantar. Ela filtra, só mostra o lado bom. E não vejo nenhum problema nisso. Ninguém diz que ronca quando quer seduzir alguém.
>
> Mas para mim a diferença é muito clara: a identidade é tudo; a marca é só uma parte (a boa), justamente a que vai ser mostrada e valorizada.
>
> É isso: respeito, mas discordo. Minha identidade não me deixa largar essa mania de questionar tudo o que leio, mesmo que sejam declarações dos ícones da gestão...

Identidade visual é a forma como a empresa é identificada visualmente.

É importante observar também que identidade visual não consiste em simplesmente "carimbar" o logotipo e o símbolo em todo o material da organização. *Designers* experientes conseguem fazer com que a empresa possa ser identificada visualmente de maneira mais sutil, como, por exemplo, utilizando uma paleta de cores específicas (lembra da propaganda do cigarro Carlton? Era só um objeto vermelho em um fundo branco, lembrando a embalagem de um jeito menos óbvio) ou formas diferenciadas (um dos casos mais famosos é o da vodka Absolut). Há também o uso de personagens e cenários específicos (o *cowboy* da Marlboro, com seu pôr do sol no Oeste).

Cabe ressaltar que estudos recentes (LINDSTROM, 2009) na área de neuromarketing comprovam que, em algumas situações, essas cores, formas, cenários e atmosferas construídas como o entorno de uma marca fazem muito mais efeito no cérebro das pessoas do que a marca gráfica propriamente dita. Aos poucos, vai se tornando uma tendência destacar menos a representação gráfica da marca e mais os seus aspectos cenográficos.

Muitos autores consagrados consideram que tudo o que diz respeito à empresa, como a identidade visual e o nome, são parte da identidade corporativa. Penso que vem daí a origem da confusão muito comum de achar que a identidade corporativa é sinônimo de marca gráfica e suas aplicações. Apesar de esses conceitos estarem relacionados, são diferentes, uma vez que a identidade visual (física) traduz a identidade corporativa (intangível).

Neste livro, excluímos do conceito de identidade corporativa a sua marca gráfica, a sua papelaria e todo material normalmente considerado como identidade. Esses aspectos, para fins de conceituação, serão aqui considerados como manifestações físicas da identidade, e não a própria.

CRISE DE IDENTIDADE

Que tal acabar com o tédio na empresa e turbinar os negócios?

Se você topou o desafio, então nada melhor para celebrar o seu renascimento empresarial do que revolucionar completamente a sua marca gráfica, não acha? A atual é muito sem graça, foi o seu sobrinho quem fez quando ele ainda era muito novo, não dominava completamente o CorelDraw. Vamos tentar uma solução mais moderna, com mais recursos, mais afinada com as tendências.

Eis que você, empresário antenado, se põe a pesquisar na Internet e descobre que isso se chama *"redesign* da identidade corporativa". Sofisticado, não é? Contratando uma coisa assim, os negócios só podem melhorar mesmo. Mas o que é mesmo essa tal de "identidade corporativa" que vai ser redesenhada?

Bom, primeiro, vamos "desmontar" a expressão e ver o que cada uma das partes significa. *Identidade*, segundo o *Dicionário Aurélio*, é um substantivo feminino que significa conjunto de caracteres próprios e exclusivos de uma pessoa.

Pessoas diferentes podem ter várias características comuns, mas o que torna alguém original e exclusivo, sem igual no mundo, é justamente a maneira como essas características se combinam na sua formação.

Já a palavra *corporativa* está associada à empresa, corporação.

Então, resumindo, identidade corporativa é o conjunto de características que, combinadas, tornam uma empresa única, especial, inigualável.

Partindo desse pressuposto, o que torna uma empresa realmente especial é a sua essência, seus princípios, crenças, manias, defeitos, qualidades, aspirações, sonhos, limitações. O dom para as artes e o mau humor matinal. O senso de humor sofisticado e a vulgaridade fora de hora. Tudo conta.

Mas como fazer o *redesign* disso tudo? Como mudar a essência de uma empresa simplesmente refazendo a sua marca gráfica?

A resposta é: não dá!

A marca gráfica não é e nem faz parte da identidade corporativa.

Pense numa pessoa: ela tem um nome, um corpo e usa roupas. O corpo não é a pessoa. O nome não é a pessoa. As roupas não são a pessoa. Todos esses elementos são **manifestações da sua identidade,** mas **não são a própria identidade**. A pessoa pode manifestar essa identidade por vários outros meios, excluindo o corpo, o nome e as roupas. Por exemplo, se escreve uma autobiografia sob um pseudônimo, uma parte sua está lá também, mas não é ela propriamente dita.

Se a pessoa (ou empresa) não se conhece bem, pode inclusive se manifestar de maneira a parecer o que não é (de propósito ou por engano). Mas isso não muda a sua identidade. Quando a pessoa muda de roupa, muda de nome ou muda de corpo (fazendo uma plástica ou engordando, por exemplo), ela não muda a sua essência, não deixa de ser ela mesma apenas porque as manifestações exteriores de sua identidade mudaram. Veja só os gêmeos: têm corpos iguais, mas identidades completamente diferentes.

Uma empresa também é assim. Se ela tem uma postura conservadora para tomar decisões, não é mudando a marca gráfica que ela vai se tornar inovadora. A representação gráfica é só uma forma de comunicar quem ela é e pode muito bem dizer bobagens que nada têm a ver com a identidade.

A identidade corporativa é o que uma empresa é, na sua **essência**. A marca gráfica, o nome, o ambiente, o atendimento, a missão, a visão, os documentos, a propaganda, são apenas manifestações físicas da sua identidade e, mesmo assim, nada garante que elas sejam fiéis à verdade.

Assim, antes de desenhar ou redesenhar uma marca gráfica, a empresa precisa se conhecer profundamente. E o *designer* deve tentar traduzir essa essência, usando tudo aquilo que aprendeu e mais tudo aquilo que devia saber: tipografia, semiótica, teoria das cores, composição, *gestalt*, história, além de uma cultura geral muito rica.

Por isso é que eu considero um dos maiores absurdos a prática corrente no mercado, onde o *designer* (e, às vezes, nem isso) centraliza todo o seu trabalho na equivocada pergunta **"qual é a imagem que o senhor quer passar na marca de sua empresa?"**, quando deveria começar o trabalho questionando **"quem é a sua empresa?"**.

Desse jeito, nem me admira que tenha tanta gente boa por aí fazendo *"redesign* da identidade corporativa"...

SÃO APENAS SINAIS

O pesquisador Jesús Izeta (2006) esclarece-nos que as manifestações ou sinais que percebemos e que nos permitem conhecer a identidade são chamados *identificadores* ou *fatores de identificação*. Eles são a ponte que une a identidade com o mundo e, por serem a manifestação física daquela, são a única forma que temos de conhecê-la. Mas, adverte, esses fatores são apenas manifestações da identidade, não são ela mesma (ver Quadro 1).

Identidade	Descrição
Corporativa	Conjunto de atributos intangíveis (psicológicos) que definem quem a empresa é.
Visual	É o sistema que traduz a identidade da empresa em termos visuais: define usos para cores, símbolos, tipografia, formas e grafismos a serem usados para identificar visualmente a empresa.

Quadro 1 – Diferenças entre Identidade Corporativa e Identidade Visual.

Mas por que essa confusão entre atributos físicos e psicológicos? Bom, vamos recorrer à filosofia clássica, que já apresentava questões sobre o assunto.

SOBRE OS ATRIBUTOS DA IDENTIDADE

Sócrates já pensava nessa questão da identidade e nos ensinou que todas as coisas do mundo possuem dois tipos de atributos. Os **essenciais**, que fazem com que a coisa seja reconhecida como tal e a diferenciem de todas as outras; e os **acidentais**, que ajudam a descrever essa coisa, porém, não são a sua essência. O que é essencial permanece ao longo de toda a vida, com sutis variações. O que é acidental muda de acordo com as aventuras e desventuras de seu sujeito.

Novamente, vamos pensar numa pessoa para facilitar o entendimento. O caráter dela permanece o mesmo (pelo menos nos seus pontos essenciais) desde criança. Se alguém é introspectivo e amigável, vai ser reconhecido por essas características ao longo de toda a sua vida. Uma criança curiosa será um velhinho curioso. Este é, então, um dos seus atributos essenciais.

O corpo, porém, que é a manifestação física do indivíduo, muda o tempo todo. Engordar ou emagrecer, pintar o cabelo, fazer plástica, mudar o estilo de roupa, nada disso muda a essência da pessoa, mas são atributos que ajudam a descrevê-la em diversos momentos da sua trajetória. Por isso, são chamados atributos acidentais.

Será? Ah, mas a minha prima sofreu um trauma e mudou completamente! Fulano é outra pessoa depois da cirurgia plástica. Ok, são argumentos válidos, mas basta pensar como as pessoas reagem de maneira distinta a acontecimentos e situações semelhantes.

Se alguém ficou mais introspectivo depois que perdeu o pai quando era jovem, provavelmente apenas exacerbou uma característica que já tinha, pois há pessoas que também passam por situação análoga e são bastante comunicativas e extrovertidas. Se alguém fez plástica e ficou mais seguro, provavelmente já trazia essa segurança dentro de si; só faltava um empurrãozinho.

Quantas pessoas transformam o corpo inteiro e continuam emocionalmente instáveis, incapazes de tomar decisões sozinhas? Cada um tem uma forma particular e única de reagir a estímulos; tudo depende da respectiva identidade. As características físicas não são a identidade; no máximo, podem ser uma boa tradução.

Com as empresas, acontece algo parecido. A forma como cada uma enfrenta crises, oportunidades e contingências, seu posicionamento no mercado e seu estilo de atuação dependem da sua identidade.

Por que é que, numa crise, algumas empresas crescem vertiginosamente e outras decretam falência, mesmo que, muitas vezes, atuem na mesma área? A maneira como elas reagem e tomam decisões depende muito da identidade de cada uma.

Outra questão interessante a se pensar é que a frequência com que os atributos acidentais mudam também depende dos atributos essenciais. Se a empresa é mais conservadora, as manifestações físicas de sua identidade também mudam pouco: a marca gráfica, a decoração, a gestão de pessoas, o portfólio de produtos, tudo permanece estável e previsível ao longo de vários anos.

Já uma empresa mais inquieta, emocional, ousada, pode mudar várias vezes de marca, decoração, sistemas de gestão ou portfólio de produtos no decorrer de seu ciclo de vida.

Uma vez constituída a empresa, é muito difícil mudar sua identidade (eu diria praticamente impossível – só mesmo com técnicas sofisticadíssimas de "engenharia genética" e o investimento de muito tempo e de dinheiro). Então, é importante que fique claro que os atributos (ver Quadro 2) da identidade não são uma lista de desejos. A identidade é um fato da vida e a empresa necessita tirar o melhor proveito do que realmente é, mesmo que esteja longe do que considera ideal.

Atributos	Descrição
Essenciais	Relacionados ao caráter, representam a essência e praticamente não mudam. Sofrem apenas variações sutis de ênfase ao longo do ciclo de vida.
Acidentais	Relacionados às manifestações físicas, materiais, conjunturais. Mudam com frequência e se adequam às diversas fases do ciclo de vida da empresa.

Quadro 2 – Atributos da Identidade Corporativa.

Os atributos da identidade não são uma lista de desejos.

Algumas empresas predominantemente recatadas e discretas, por força de um choque de gestão provocado por modismos ou novos contratados no quadro de executivos, querem se tornar extrovertidas, desinibidas e íntimas de seus clientes da noite para o dia, sem considerar as suas características essenciais. O desgaste é grande para todas as partes envolvidas e os resultados raramente são os esperados.

Uma vez que boa parte desses movimentos não é bem-sucedida, exigindo esforços desmedidos e provocando expectativas que não serão alcançadas, convém perguntar: por que mudar? Para estar na moda, para dizer que mudou, para ficar em consonância com os novos tempos, para ser moderna, por que o consultor falou que era bom, por que o presidente queria deixar a sua marca?

Será que investindo os mesmos recursos em esforços para transformar atributos essenciais como a discrição e o recato em fatores positivos, importantes e diferenciais não seria mais honesto, ético, prático, eficiente e original?

Assumir a verdadeira identidade exige menos esforços, pois não é preciso representar um papel em tempo integral.

Nenhuma empresa consegue fingir ser o que não é por muito tempo. Veja, por exemplo, os escândalos a que assistimos a todo instante. E cair em contradição pode ser fatal em alguns setores do mercado.

CARÁTER OU PERSONALIDADE?

Estava conversando com um amigo sobre um dos meus assuntos prediletos, identidade corporativa, quando ele me pegou usando a palavra *personalidade* como sinônimo de *identidade* e reclamou. Eu não tinha me dado conta disso, mas ele estava certo. Identidade e personalidade são completamente diferentes.

Personalidade vem do latim *persona* e designa aquelas máscaras que os atores usavam no teatro grego. De onde se pode inferir que personalidade é aquilo que os outros vêem, não necessariamente quem eu sou. A personalidade está muito mais ligada à imagem (o que eu pareço ser) do que a identidade (minha essência, meu DNA).

O que está ligado à identidade é o conceito de caráter. Este, sim, significa o conjunto de atributos que torna uma pessoa única no mundo e determina sua índole, seu temperamento, sua maneira de interagir com o mundo e com as outras pessoas. O caráter é a soma de todos os hábitos, vícios e virtudes. É a pessoa inteira, de verdade, não só a parte que aparece.

Até o século passado, o caráter definia quem uma pessoa era realmente. Depois da Segunda Guerra, com o crescimento da indústria de consumo, a competição pela preferência do cliente e, não por coincidência, a consolidação da propaganda e da publicidade como ferramentas poderosas de persuasão em massa, a palavra foi caindo em desuso e adentramos a era do culto à personalidade.

As personas começaram a ganhar mais destaque; surgiram consultores de imagem e profissionais especializados na comunicação de qualidades superlativas de produtos e pessoas. O "quem" passou a ser definido pela popularidade de alguém, pelos seus pertences ou poderes, pelo *design* da máscara. *Caráter* virou palavra em desuso, totalmente *out*.

Com essa crise de identidade que enfrentamos, que contagia pessoas, empresas, organizações e governos, em que ninguém mais se lembra quais são os seus princípios, em que as personas dominam os meios de comunicação, não seria a hora de ressuscitar o velho caráter e lhe dar alguma atenção?

Tirar a máscara por um momento, lavar o rosto e olhar-se no espelho com atenção poderia ser um primeiro passo para o autoconhecimento e a reavaliação das personas que estamos todos usando por aí. Se as organizações e os governos também aderissem, daríamos um passo à frente para sair dessa crise de modelos falsos, exagerados e de mau gosto que dominam o mundo real e virtual.

Vale lembrar que as máscaras, como se sabe, só tapam a face. O resto do corpo inteirinho continua aparecendo...

O QUE O MERCADO QUER?

"*Mas o mercado quer!*" Nas minhas consultorias em identidade corporativa, ouço essa frase o tempo todo, principalmente quando o resultado do diagnóstico diz que a empresa possui um atributo essencial que contradiz o que está na moda.

Sempre digo que é mais fácil a gente parecer o que é de verdade. Mais fácil, mais seguro, mais barato, mais honesto e mais lucrativo, por estranho que possa parecer.

O problema é que os gestores andam intoxicados por revistas, livros e consultores que não param de repetir mantras como "*inove ou morra*", "*mercado quer isso ou aquilo*". Assim, é compreensível o susto que um empresário leva quando preciso dizer a ele que sua empresa é conservadora na essência (esmagadora maioria), ou que ela não tem uma preocupação ambiental que se destaque da média. É aí que eu ouço: "*Mas o mercado quer o contrário! Preciso passar uma imagem de inovação e preocupação ambiental! A identidade é importante, mas tenho que dar o que os clientes querem para sobreviver no meu negócio!!*" Sobreviver fazendo teatro? Na minha opinião, até uma companhia de teatro precisa ser fiel à sua identidade.

A tentação de ignorar o que se é e divulgar o que você acha que o mercado quer ouvir é quase irresistível. Mas fuja dela se quiser se destacar e, principalmente, se quiser sobreviver.

O que o mercado quer mesmo é a verdade.

É melhor você assumir suas características e torná-las um diferencial positivo do que investir muito tempo, muito dinheiro e muito desgaste para mudar a sua essência (sem garantias de conseguir) e ficar igualzinho ao que todo mundo diz que é (inovador, ético, valorizador de pessoas, respeitador do meio ambiente, blá, blá, blá...).

Essas frases marketeiras[3] sobre as querências do mercado se parecem muito com as daqueles livros bobinhos de autoajuda que ensinam "o que as mulheres querem", "o que os homens desejam", "o que fazer para agarrar um solteiro" e outras bobagens afins. "O que o mercado quer" é uma afirmação muito genérica. O tal do mercado é uma entidade complexa e cheia de nichos. Cabe a cada empresa encontrar um para chamar de seu, justamente aquele que gosta dela tal como é.

Quer um exemplo prático? Peguemos o caso de uma menina gordinha. Em vez de ficar violentando a sua natureza e passar uma vida rejeitada, cheia de sacrifícios e sofrimentos, mais valeria investir seu tempo procurando

---

3. O termo *marketeiro* aqui é usado como pejorativo. Pessoas que trabalham com marketing de maneira séria são chamados de *profissionais de marketing*.

rapazes que gostem justamente de gordinhas (há muitos). É claro que ela pode emagrecer um pouco, mas jamais será reconhecida por ser macérrima. Esta nunca será uma característica diferencial sua (a não ser que ela desenvolva algum distúrbio alimentar, é claro, o que não é absolutamente sustentável).

Fulano é orelhudo? Em vez de fazer plástica e ficar com a cara de todo mundo, por que não identificar moças com uma tara secreta por essa parte anatômica?

Sempre falo que uma moça que tem o nariz grande pode fazer uma das duas coisas: ou se submeter a uma cara e dolorosa cirurgia plástica e ficar igualzinha a todas as outras moças (o que "o mercado quer"), ou fazer um belo trabalho de valorização do seu nariz, fazendo com que todas as outras queiram ter um igual ao seu (Gisele Bündchen que o diga).

O sucesso depende mais da atitude e das estratégias corretas para conquistá-lo do que de fazer sempre o que se acredita que "o mercado queira".

Repare que há modelos com sinais de nascença, levemente estrábicas e até orelhudas, que se destacaram justamente por não ser o que "o mercado" esperava. O hábito de se espelhar nas líderes é muito boa referência, mas há que se ter comedimento. Quando você quer ser igual a um ícone, corre o risco sério de perder o próprio caráter e se tornar um clone mal acabado de alguém famoso.

Na literatura especializada, chovem contradições. Consultores dizem que você tem que se diferenciar, mas aconselham a fazer o que todo mundo faz. Aí fica tudo igualzinho. Não é um paradoxo? Aceitar e assumir a própria identidade é o primeiro passo para fazer diferença. E, principalmente, para descobrir, afinal de contas, o que é que esse tal de mercado tanto quer.

Assumir o que se é de verdade exige menos esforços, é mais honesto, barato, eficiente e, por incrível que pareça, mais lucrativo.

Mas isso significa então que a identidade da empresa nunca pode mudar?

Em princípio, a identidade é bastante estável, porém, pode sofrer "mutações genéticas" se a empresa for submetida a um processo de fusão ou comprada por um grande grupo, por exemplo. Se os atributos essenciais de ambas as partes forem compatíveis, o processo de mudança, apesar de difícil, tem grandes chances de ser bem-sucedido. Mas atributos essenciais divergentes ou conflitantes podem tornar o processo tão complicado que o trauma da transmutação pode ser fatal para uma ou ambas. Seria bastante conveniente que os estrategistas levassem também esse aspecto em consideração no processo de tomada de decisão.

Para uma fusão ou aquisição funcionar, é preciso assegurar que as identidades das empresas envolvidas sejam compatíveis.

Uma vez que a mudança é complicada, cara, demorada e, mesmo assim, não garantida, o ideal seria a empresa fazer uma autoanálise e descobrir por que ela quer mudar.

Quando o atributo que se deseja mudar é forte e importante demais, convém avaliar se não seria o caso de encerrar o empreendimento e iniciar outro, do zero, sob condições mais favoráveis.

Segundo Jesús Maria Izeta (2006, p. 113), com o tempo e as transformações no processo de gestão, o que muda é a maneira de ser da empresa, não o ser propriamente dito. A organização, por mais que sofra transformações, continua sempre a mesma, mas de uma forma diferente. Ele cita, inclusive, uma frase famosa de outro autor:

"Quanto mais muda, mais é a mesma coisa."
Alphonse Karr

A ÉTICA E A IDENTIDADE

Se perguntarmos a qualquer executivo sobre a questão ética na empresa, existe uma probabilidade muito grande de ele ser capaz de jurar sobre a Bíblia que os princípios éticos constituem os valores mais importantes da organização (assim como a inovação, a preocupação com o ambiente, a valorização do capital humano e blá, blá, blá).

Mas e se durante o processo de autoconhecimento a empresa reconhece que a preocupação com a ética, por exemplo, não está em seus atributos essenciais? O que fazer? Sair por aí dizendo que é desonesta, que faz negócios escusos, que topa tudo? Às vezes, os deslizes são sérios, porém, dependendo da cultura, podem ser mais facilmente toleráveis pela sociedade, como o uso de uma cópia adicional não autorizada de um *software*, por exemplo. É errado, é crime, todos sabem, mas nem sempre isso quer dizer que a empresa aceite propina e ande metida em negociatas.

Há muitos empresários que se acham éticos e honestíssimos, mas que sonegam impostos em todas as oportunidades possíveis, mesmo que muito discretamente. Então, como proceder num caso desses?

Uma vez reconhecida essa peculiaridade, a empresa tem que definir claramente a postura que vai adotar. Ela pode decidir:

1. Acabar com todas as práticas que não possam ser publicamente consideradas éticas e se empenhar em eliminá-las por completo, ou seja, nenhum esqueleto no armário será tolerado.

2. Definir que algumas práticas não são tão graves quanto outras e tolerar apenas deslizes considerados "pequenos"; um ou outro produto/serviço sem nota fiscal, por exemplo, um modesto caixa "dois", ou alguns *softwares* sem licença não serão considerados prioridades a serem tratadas.

3. Não possuir nenhum tipo de escrúpulo, aceitando todo e qualquer comportamento heterodoxo, desde que seja do conhecimento dos gestores e faça parte da estratégia da empresa, como, por exemplo, postos que vendem combustível adulterado.

Seja qual for a decisão, a empresa tem que estar consciente de que não pode sair por aí dizendo que é ética e enfatizando esse aspecto como se isso fosse um atributo essencial.

No primeiro caso, da empresa que decide não tolerar mais deslizes, o que se define é a manifestação de uma intenção, que pode levar anos até obter algum êxito, principalmente se o "jeitinho" faz parte da cultura da empresa.

Intenção não é fato, nem atributo, muito menos essência.

No segundo caso, basta um olhar mais atento para que se percebam contradições; é o famoso "telhado de vidro". Não convém chamar atenção demais para o tema.

Já no terceiro caso, discrição é tudo.

Para os cidadãos de qualquer cidade, estado ou país, é importante que todas as empresas sejam modelos éticos e de consciência social. Infelizmente, a realidade é diferente, e não está em poder de um consultor mudar a identidade de uma empresa. Se ela pratica delitos, certamente é por escolha de seus gestores, seja ativamente ou por omissão. Corais infantis, códigos de ética com encadernação caprichada, marketing ambiental ou balanços sociais, nada disso pode contra a força do DNA de uma corporação. Certamente, a decisão recomendada por qualquer profissional é a de número um, que prega tolerância zero, mas espetáculos teatrais com maus atores são piores do que nenhum espetáculo.

O consultor fornece as informações para a tomada de decisão, mas a decisão em si cabe somente ao gestor.

Não está em poder do consultor realizar a mutação genética necessária, mas isso não significa que ele não possa fazer nada a respeito. Em situações como as acima apresentadas, a recomendação para a gestão da identidade corporativa da empresa em questão é evitar a qualquer custo a menção à palavra *ética* ou assuntos relacionados ao tema. Certamente, outros atributos podem ser valorizados e enfatizados, focando o posicionamento em um diferencial verdadeiro e que atenda a seu público de interesse[4] (que,

---

4. Estou numa campanha para eliminar a expressão *público-alvo*. Alvo é passivo, só vale como parte de um jogo, só existe para ser espetado; alvo nunca ganha. Ninguém quer saber os desejos e necessidades de um alvo. Vamos acabar com metáforas belicosas! Como um cliente pode se sentir especial se ele é chamado (e tratado) como um alvo?

em algumas ocasiões, inclusive compartilha da mesma, digamos assim, "filosofia de negócios").

Então, por mais paradoxal que pareça, sim, é possível que uma empresa desonesta possa agir com honestidade na gestão de sua identidade corporativa.

Dois exemplos reais que podem ilustrar os benefícios dessa abordagem ocorreram há poucos anos no Brasil.

CASO 1: DASLU, LOJA DE ARTIGOS DE LUXO

Há alguns anos, a Polícia Federal, numa operação cinematográfica, prendeu executivos do primeiro escalão da loja porque investigações apontavam para um esquema de importação ilegal de mercadorias de luxo que implicava sonegação de impostos. A situação foi bastante constrangedora, com episódios de encarceramento vexaminosos. A polícia tinha provas de que uma quadrilha organizada operava com o auxílio de várias empresas de fachada.

A empresa ficou muito mal na imprensa, mas o episódio foi relevado rapidamente. A Daslu não perdeu um único cliente, apesar de restarem poucas dúvidas da sua culpa. O que aconteceu nesse caso? Bem, a loja nunca mencionou a palavra ética em nenhuma de suas ações ou comunicações. Seu foco é o glamour e o luxo, promessa que sempre cumpriu à risca. Seus clientes nunca buscaram na empresa soluções para um consumo consciente; a motivação para ir até lá não é o modelo ético que a empresa possa ter. Quem compra nessa loja quer luxo, sofisticação, inovação, glamour. E encontra tudo isso, sem decepções. Apesar do vexame, ninguém se sentiu enganado e a empresa se recuperou com agilidade extraordinária.

Algo semelhante, se bem que com muito menos sofisticação e em escala diferente, ocorre com camelôs que vendem produtos contrabandeados e são pegos em flagrante pela polícia na presença de muitos de seus clientes. Uma vez libertados, lá estão eles vendendo novamente os mesmos produtos, com igual desenvoltura, sem perder nenhum cliente. Problemas com a lei fazem parte de sua rotina e seu público não vai lá pensando em encontrar ética. O foco é a diversidade e o preço – uma vez cumprido o trato, as partes saem muito satisfeitas. Em ambos os casos, as empresas entregam o que prometem.

CASO 2: PT, PARTIDO DOS TRABALHADORES

O PT passou anos pautando todas as suas comunicações na palavra *ética* e apresentando esse atributo como um diferencial em relação aos demais partidos. Acreditava-se (pelo menos boa parte dos eleitores do presidente Lula) que políticos de todos os outros partidos eram corruptos e faziam parte de algum esquema de superfaturamento ou condução de licitações para obras públicas. Os políticos do PT, porém, sempre foram associados à honestidade, ao idealismo e à preocupação com o bem comum. Questionava-se a sua competência, seu preparo e até a sua aparência, mas nunca a sua moral. A palavra *ética* parecia sagrada e o PT era seu guardião, denunciando todos os deslizes que conseguia descobrir. No ano de 2006, porém, vieram à tona práticas tão ou mais corruptas que as utilizadas pelos políticos "comuns". Escândalos, vídeos secretos, documentos comprometedores, confissões públicas, choros em plenário e até "danças da pizza" contribuíram para o imenso mar de contradições no qual o partido mergulhou. Daí em diante, práticas que desafiam qualquer definição de ética são comuns e admitidas publicamente sem nenhum constrangimento. O próprio presidente declarou, em entrevista, que seu partido usava "caixa dois" como se fosse a coisa mais natural do mundo.

Não se trata aqui de fazer um juízo de valor, mas constatar que o atributo "ética" nunca fez parte do DNA da agremiação. O erro incorrido foi justamente escolher um atributo não essencial para estruturar todo o seu posicionamento, seu diferencial e suas comunicações.

Uma vez que o mercado constatou a contradição, a instituição perdeu toda a sua credibilidade e o trabalho de anos.

Assim, muito cuidado com a ênfase na palavra *ética* nas comunicações da empresa; ela realmente precisa ser um atributo essencial, precisa correr nas veias corporativas. Uma vez que a associação é feita, é preciso bancar e ter a máxima segurança de que não há sequer uma prática ou ação que contradiga esse atributo.

INOVADORES COMEDIDOS

Outro atributo recorrente na cabeça dos gestores é a tal da inovação. Não há executivo que não imagine sua empresa ousada, inovadora ou arrojada pelo menos em algum momento da sua gestão. Frequentemente, são elaboradas campanhas publicitárias que enfatizam essa característica de maneira exagerada ou assessorias de imprensa trabalham enlouquecidas para inserir notas sobre as ações inovadoras da empresa que poucos veículos se interessam em publicar. Por que essa luta insana para parecer inovadora?

Vamos do início. Com a desenfreada concorrência, observou-se que inovar é uma maneira eficiente de conquistar mercados, inclusive criando nichos sequer sonhados. Fala-se, inclusive, que inovação é uma questão de sobrevivência para qualquer empresa. O que não faltam são publicações, livros, revistas, palestras, seminários, congressos e consultores que repetem o mantra consagrado: inovação ou morte!

Bem, se os especialistas, gente que passou anos estudando o assunto, dizem isso, quem sou eu para discordar? Porém, convém analisar a questão com muito cuidado: **de que inovação estamos falando?**

Assim como a ideia não era escrever um tratado sobre ética quando tratamos desse assunto, o objetivo aqui também não é elaborar um ensaio sobre inovação, pois há muitos e excelentes livros que tratam do tema com mais propriedade. Porém, é necessário esclarecer alguns pontos.

Há basicamente dois tipos de inovação: a **incremental** e a **radical** (ou disruptiva).

A inovação *incremental* é aquela que melhora ou aprimora alguma coisa utilizando tecnologias que já existem. É a mais comum, a que todo mundo conhece. Por exemplo: quando os refrigerantes tipo Cola criaram a versão com limão, inovaram de maneira incremental. Quando uma empresa passa a usar um *software* de gestão para organizar seus documentos e processos internos, também.

Já a inovação *radical* é aquela que muda hábitos e provoca um impacto muito maior. Um estudo da prestigiada *Harvard Business School* (2003) defende que uma inovação radical deve apresentar pelo menos uma dessas quatro características:

1. Um conjunto inteiramente novo de funcionalidades.

2. Melhoria de desempenho no mínimo cinco vezes maior em relação ao produto ou serviço existente.

3. 30% ou mais de redução de custo.

4. Mudança na base de concorrentes.

Acredito que a última seja a mais relevante de todas. Basta lembrar como o iPod mudou o mercado fonográfico e deu origem a uma legião de clones. Todas as empresas do setor foram impactadas pela novidade. Lembre-se de como era a sua vida antes do telefone celular. É ou não é uma mudança radical na base de concorrentes?

Cabe lembrar que a inovação pode ser na gestão, nos processos ou nos produtos. No caso do iPod, o verdadeiro motor da inovação foi seu parceiro iTunes, que mudou radicalmente a logística de distribuição de músicas (e filmes). Claro que o iPod inovou também na interface entre a pessoa e o aparelho de um modo que ninguém nunca tinha pensado antes — o pacote foi completo e transformador. Aliás, interfaces são a especialidade da Apple, que fez o mesmo com o iPhone e, mais recentemente, com o iPad. Esta é uma das poucas empresas no mundo que pode dizer que a inovação realmente faz parte de seu DNA. É, sem sombra de dúvida, um atributo essencial da organização.

No caso do Cirque du Soleil, a mudança foi no conceito do espetáculo sob a lona. Há um excelente livro chamado *A estratégia do oceano azul* (2005), que fala tudo sobre as inovações radicais e como elas acontecem.

Os especialistas concordam que toda inovação radical implica risco: pode dar certo ou ser um estrondoso fracasso.

A empresa precisa estar preparada para o caso de algo dar muito errado, luxo que a maioria não pode (ou não quer) se dar. Na verdade, poucas empresas conseguem ter estrutura para bancar uma inovação radical, uma vez que precisam ter suporte psicológico e financeiro para assumir tal risco. A Apple, uma das empresas mais inovadoras do mundo, já teve prejuízos enormes com produtos que não conseguiram conquistar o mercado. Quem pode se esquecer do Newton, o avô dos Palmtops, um baita prejuízo para a empresa da maçã? Ou do computador Cube, da mesma empresa, que, apesar de sensacional, não vendeu quase nada? E todo o dinheiro que a Motorola investiu para colocar satélites em órbita e viabilizar o telefone Iridium, um fracasso absoluto de mercado?

Pois é! Voltando à questão da identidade das empresas, já deu para ver que é bastante difícil ser uma inovadora radical, principalmente em um país sem cultura de inovação como o Brasil. De onde se conclui que não há nada de trágico nem suicida em fazer apenas inovações incrementais, aquelas básicas e necessárias para as atualizações e a manutenção da empresa no mercado.

A intenção, nessa conversa, é ressaltar o fato de que uma empresa que pratica apenas inovações incrementais não está fazendo nada de errado, porém, não dá para dizer que inovação seja um atributo essencial dela (a não ser que as inovações incrementais sejam tão frequentes e intensas que se transformem em característica fundamental). Para saber da relevância do atributo inovação numa empresa, basta se fazer a seguinte pergunta:

Se a empresa passasse algum tempo sem inovar, seu público deixaria de reconhecê-la?

Vamos pensar: se a Apple passar um ano sem lançar um produto que transforme o mercado e influencie seriamente a base de concorrentes, certamente ela perderá um atributo essencial (correndo risco sério de falir). Mas quantas Apple há no mundo? Certamente, muito poucas.

O problema é que o adjetivo *conservadora* tornou-se pejorativo, quando não há, na verdade, nenhum problema nele. Uma escola conservadora certamente contará com a preferência de uma boa parcela do mercado, uma vez que se sabe que lá só serão utilizados métodos de ensino completamente consolidados; ela só usa aquilo que já foi amplamente testado e aprovado. Não significa que a organização não inove; simplesmente, este não é um de seus atributos essenciais. Uma escola que usa o método tradicional de ensino, mas coloca computadores e recursos multimídia em suas salas, está fazendo uma inovação incremental se o conceito do seu método de ensino continuar o mesmo.

Sair por aí dizendo que é inovador só porque faz a lição de casa (inovação incremental como atualização) é como destacar que você é muito limpinho, profundamente higiênico, como característica fundamental só porque toma banho todo dia. Isso lá é atributo para se destacar? Fazer o que todo mundo faz é obrigação, não diferencial!

Uma analogia que se pode fazer é imaginar uma régua onde, em uma ponta, há uma escala indicando 100% de inovação. Essa mesma extremidade indica 0% de conservadorismo. Na outra ponta, a situação se inverte: 100% de conservadorismo e 0% de inovação.

Todas as empresas situam-se em algum lugar da régua. Então, quem é 80% inovadora é também necessariamente 20% conservadora.

Há um grande perigo em empresas que se situam em uma das duas extremidades: quem é 100% inovadora não tem os pés no chão, corre riscos acima da sua capacidade. Quem é 100% conservadora está com seus dias contados para fechar.

Baseada em minha experiência profissional, acredito que parte significativa das empresas brasileiras tende ao conservadorismo, pelo próprio contexto do país. É muito difícil correr riscos em um lugar onde o fracasso é tão mal visto; onde os cidadãos não confiam uns nos outros; onde há leis que "pegam" e outras não.

O fracasso, nos países inovadores, é visto apenas como experiência. Um fracasso no currículo de um empreendedor em países inovadores, como os EUA, é interpretado como o fato de ele já ter errado e saber o que não fazer; que ele não se deixa abater e vai tentar novamente, dessa vez, por outro caminho. O sujeito pode ganhar a vida dando palestras sobre a sua experiência de como não fazer. No Brasil e nos países menos inovadores, um empreendedor que já fracassou uma vez é estigmatizado por toda a vida, não lhe sendo dada uma segunda chance.

A esse respeito, Clemente da Nóbrega (2007) publicou um excepcional artigo na revista *Época Negócios* que vale a pena ler.

Muito cuidado com a palavra inovação usada como foco da comunicação.

Aí, acontece o seguinte: o dono da empresa acha que isso tudo é bobagem e que se o mercado quer inovação, é isso que ele vai ter. Paga uma agência de propaganda para encher os jornais locais de anúncios enfatizando que sua empresa é inovadora com peças belas e ousadas; a campanha faz o maior sucesso.

Só que, como a empresa é predominantemente conservadora, vai acabar afugentando clientes que poderiam ser naturalmente seus (buscam solidez e segurança) e frustrando aqueles que estão realmente em busca de inovação (eles vão até a empresa e veem que ela é igual às outras; nada de inovação de verdade). É o pior dos mundos, um verdadeiro tiro no pé, muito caro, por sinal.

A IDENTIDADE DO DONO É A MESMA DA EMPRESA?

A identidade de uma empresa é seu DNA. Isso quer dizer que o conjunto de características que a tornam única e especial já nasce com ela, é congênito. Então, será que isso significa que a identidade da empresa é igualzinha à do seu dono ou fundador?

Vamos pensar: uma empresa é uma entidade muito diversa de um ser humano. Ela é formada por pessoas, cujo número varia com o tempo. Um negócio pode começar apenas com o proprietário ou com mais de 10 mil colaboradores (quando é fruto de uma fusão ou aquisição, por exemplo). Ela pode continuar por anos com um ou dois funcionários ou multiplicar várias vezes seu corpo original.

Já uma pessoa tem sua própria essência e sua maneira toda única de se comportar profissionalmente. Mesmo relaxada na vida pessoal, ela pode ser muito exigente como empresária. Outros atributos (em geral, a maioria) permeiam tanto a sua vida pessoal quanto a profissional. Mas como separar uma coisa da outra? Será que elas precisam mesmo ser separadas?

Sim, precisam.

"A identidade não se pode transferir, já que ela não pode sair do ente que a constitui."
Jesus Izeta (2006, p. 9)

Uma empresa é sempre maior que seu dono e, apesar de a maioria de suas características ser geralmente compatível (a empresa herda atributos do fundador), são naturezas distintas, inclusive com ordens de grandeza diferentes.

Quando uma empresa é composta por apenas uma pessoa, a pergunta que sempre faço para identificar o caso corretamente nas minhas consultorias é: *se daqui a alguns anos o dono morrer, a empresa acaba?*

Resposta NÃO: Ela é uma empresa de fato, isto é, vai crescer, agregar novos funcionários e seu dono, inclusive, vai poder tirar férias. Nesse caso, devemos definir a identidade da empresa para nortear todas as suas ações e comunicações. É um caso desafiador mas perfeitamente possível de ser resolvido, separando claramente o que é a empresa e o que é a pessoa.

Resposta SIM: Então, temos uma EUpresa. Não há nenhum problema nisso. Eu, por exemplo, encontro-me nesse caso. A minha empresa de consultoria existe porque preciso trabalhar dentro das regras do fisco, mas ela não tem identidade própria. Todo o trabalho de divulgação é feito usando o meu nome. É o caso de muitos médicos, dentistas, engenheiros, consultores, advogados e outros profissionais liberais. Nesse caso, para haver coerência entre as ações e comunicações da empresa, temos que definir a identidade profissional de seu fundador.

A empresa é maior que seu fundador; suas identidades, apesar de terem pontos comuns, são diferentes.

A adaptação do método que utilizo, GIIC® — Gestão Integrada da Identidade Corporativa —, para a versão GIIP® — Gestão Integrada da Identidade Profissional — é a resposta para essas necessidades do mercado que tenho observado. O GIIC® é usado no caso 1; o GIIP®, no caso 2.

O bom é que se pode utilizá-lo não apenas quando se tem uma empresa individual, mas também quando se quer nortear a própria carreira. Não é possível que alguém despojado possa ser feliz trabalhando de terno e gravata em um lugar formal. Ou que alguém extremamente detalhista e caprichoso trabalhe contente em um lugar desorganizado e informal.

Trabalho é coisa séria, pois toma a maior parte do nosso tempo enquanto estamos acordados. Por isso é tão importante escolher direito.

O GIIP® pode ser um instrumento muito interessante de auxílio à tomada de decisão, capaz de ajudar profissionais e empresas a encontra pontos comuns, afinidades e até começar um namoro promissor. É claro que a consulta com um *coach*, um psicólogo ou qualquer profissional correlato pode ajudar muito. A diferença aqui é na abordagem: o GIIP® concentra-se em auxiliar o profissional a definir seus atributos essenciais, apenas isso.

O Quadro 3 mostra as diferenças de abordagens e qual a mais adequada em cada caso.

Identidade	Método	Como definir	Teste
Corporativa	GIIC®	*Workshop* de identidade, com a participação de seus colaboradores.	Se o dono vier a faltar, a empresa sobrevive com a mesma identidade.
Profissional	GIIP®	*Workshop* com o profissional	Se o profissional faltar, a empresa fecha. A empresa existe apenas por questões burocráticas. Na verdade, é uma EUpresa.

Quadro 3 – Métodos para definição da identidade.

Então, não se deixe enganar. Mesmo que o nome da empresa seja igual ao de seu fundador, não significa que ambos possuam a mesma identidade.

Se o empreendimento tem mais de um sócio, já possui indícios de ser uma empresa com identidade própria.

Identidade corporativa é a existência contínua do caráter, apesar das mudanças físicas e conjunturais pelas quais a empresa passa.

Ok! Mas alguns estudiosos falam também na expressão *identidade organizacional*. Isso é a mesma coisa que identidade corporativa?

Vamos ver.

IDENTIDADE ORGANIZACIONAL

O conceito de identidade organizacional, como demonstram os estudiosos Kiriakidou e Millward (2000, p. 49-58), não concorre com o de identidade corporativa.

Segundo esses autores, a confusão ocorre por causa do caráter visual e de marketing associado normalmente à questão da identidade corporativa.

Nessa abordagem da identidade como um conjunto de ferramentas de comunicação (símbolos, logotipos, declarações de filosofia e ferramentas motivacionais), tudo é definido pela alta cúpula administrativa, onde ocorrem debates, entrevistas e questionamentos sobre onde a empresa deseja chegar, sua identidade desejada e até definições de missão e visão. Essa identidade "desejada" é então comunicada com o objetivo de se obter a imagem mais favorável no mercado e promover uma vantagem competitiva.

O que acontece, muitas vezes, é que a identidade "identificada" pelo alto escalão nem sempre é a representação genuína da corporação. Na vida real, a identidade corporativa é muito mais eficientemente comunicada por meio dos pensamentos, ações, comportamentos e interfaces dos colaboradores da empresa com o mercado.

Os funcionários conhecem bem a cultura da empresa e conseguem identificar, intuitivamente, alguns atributos essenciais.

Então, identidade organizacional é o conjunto de estruturas que os membros utilizam para descrever o que é central, relevante e distintivo acerca da organização (ALBERT, WHETTEN,1985, p. 63-76).

"Identidade organizacional refere–se ao que os membros percebem, sentem e pensam a respeito da organização. Isto é assumido como um entendimento coletivo e compartilhado dos valores e das características distintas da empresa."
Hatch e Schultz (1997, p.356–365)

Eles afirmam ainda que a identidade organizacional é fortemente baseada em símbolos e significados particulares próprios de cada empresa, fazendo parte da sua cultura.

Mas o que é uma empresa? Certamente, não são os prédios, nem a marca gráfica, nem os equipamentos e máquinas.

O que faz uma empresa são as pessoas que trabalham nela. São essas pessoas que constroem a sua cultura, a sua identidade organizacional e, em última instância, sua identidade corporativa.

Dessa forma, pode-se dizer que identidade organizacional é um dos fatores de expressão da identidade corporativa.

"Identidade é a substância diferenciadora. Cultura é o seu veículo e sua forma mais sólida de expressão."
Joan Costa (2003, p.63)

Muito bem! Mas e se as pessoas mudam?

Bem, a não ser que a empresa mude 100% das pessoas de uma vez só, incluindo o presidente, a sua essência continua, mesmo que boa parte do seu corpo de colaboradores seja demitido ou ampliado.

Isso acontece porque a cultura de uma empresa é um elemento tão forte, que um profissional que não é compatível (seus atributos essenciais não estão alinhados com os da empresa) não consegue permanecer muito tempo no emprego. A pessoa começa a ficar insatisfeita, logo pede para sair ou então é demitida.

Imagine uma pessoa extremamente ousada, criativa, excêntrica, trabalhando numa empresa essencialmente conservadora, formal e tradicional. É só uma questão de tempo para que ela peça para sair ou seja mandada embora, sem que nenhuma das partes esteja errada (errado foi o processo de seleção!).

Da mesma forma, um profissional íntegro, sério, ético, que começa a trabalhar numa empresa e descobre que ela participa de esquemas de corrupção, sai ou morre do coração; não há como sustentar a situação por muito tempo.

As pessoas permanecem na empresa por afinidade, por sintonia, por conforto. É sempre mais fácil e produtivo trabalhar em um lugar com quem a gente se identifica na essência. É ou não é?

E A IMAGEM?

É impressionante como as pessoas confundem imagem com identidade, sendo tão distintos esses dois conceitos. Vejamos: a identidade é a essência, está intrinsecamente ligada à empresa, é seu DNA.

A imagem, ao contrário, não é o que a empresa é, mas o que ela parece ser. A imagem é uma abstração mental na cabeça das pessoas, fruto de suas percepções, filtros, comparações e experiências. Várias pessoas, submetidas à mesma mensagem, constroem em suas mentes imagens completamente distintas. Cabe ao interessado em transmitir a mensagem o cuidado para que ela seja bem entendida pelo receptor.

Imagem não é o que se diz, mas o que o outro entende.

O termo *imagem* é geralmente associado ao sentido da visão ou, na melhor das hipóteses, às percepções sensoriais. Mas imagem corporativa é muito mais:

"Imagem é a representação mental, no imaginário coletivo, de um conjunto de atributos e valores que funcionam como um estereótipo e determinam a conduta e as opiniões dessa coletividade."
Joan Costa (2003, p.63)

Herreros (em CAPRIOTTI, 2005) afirma que o estudo da imagem corporativa gira em torno da forma como um indivíduo conhece uma organização. Ele explica que o indivíduo recebe, em sua vida cotidiana, um número gigantesco de informações provenientes de pessoas, produtos e empresas. Para evitar que a cada contato se tenha que experimentar um novo processo de conhecimento, as pessoas estruturam uma simplificação interna que permite reconhecer pessoas ou empresas com que elas tiveram algum contato prévio.

Assim, entre a informação nova e seu histórico, existe um conjunto de atributos, traços e características pelos quais se pode diferenciar a tal pessoa, produto ou empresa.

Há uma analogia simples para entender esses conceitos de maneira mais didática. Suponha que a imagem corporativa é uma tela em branco que as pessoas possuem em suas mentes em relação a determinada empresa com a qual ainda não tiveram contato.

A imagem é montada à medida que a tela vai sendo preenchida, como se fosse um quebra-cabeça, com peças que a própria empresa fornece.

Se a empresa não sabe muito bem como é a tela original (a identidade), não consegue distribuir as peças corretas para preencher a tela na cabeça das pessoas (a imagem). Isso faz com que se forme uma imagem confusa, onde as peças não se encaixam. Assim, é difícil confiar na empresa e formar uma opinião favorável, pois não há clareza nem coerência. Nesse caso, as características atribuídas a essa empresa durante o processo cognitivo constituem um conjunto de crenças que se possui sobre a organização. Em muitos casos, elas podem não corresponder aos atributos que definem a sua identidade, gerando uma imagem distorcida.

É só pensar: o nome da empresa é uma peça. Um *outdoor* que você vê na rua, outra peça. Quando você liga para a empresa, pedindo uma informação, mais uma peça. Você senta no ônibus e escuta um estagiário que trabalha na empresa falando sobre o seu chefe; outra peça. Você visita o *site* da empresa e tem mais uma peça. No decorrer da experiência, você vai formando uma opinião, um quadro ou, em outras palavras, uma imagem da tal empresa. E a essa imagem você associa atributos: você decide se a empresa é séria, se é tradicional, se é discreta, se é confiável. Se as peças não se encaixam muito bem (uma hora ela diz que é inovadora, outra hora você verifica que o atendimento é tradicional), você fica confuso, sem saber direito o que pensar.

Cada um dos atributos correspondentes à imagem está diretamente relacionado a um conjunto de **evidências** (tangíveis e comprováveis) e **suposições** (intangíveis).

Além disso, Capriotti lembra que as imagens corporativas das demais empresas do setor também possuem participação essencial na estrutura cognitiva, ou seja, na maneira como cada pessoa seleciona e usa as peças para montar o quebra-cabeça.

As imagens das outras empresas servem como referências comparativas. As estruturas mentais cognitivas se formam por meio de experiências da pessoa com a organização e a percepção dessas experiências é fortemente influenciada pelo histórico de relacionamento com os concorrentes. Há algumas características atribuídas a bancos (ex.: são muito lucrativos), provenientes do histórico do setor, que acabam sendo herdadas por qualquer nova instituição que se instale. Assim, algumas "peças" do quebra-cabeça são assumidas como verdadeiras apenas por suposição, mesmo que sem nenhuma evidência que as fundamente.

Outro aspecto a se considerar é que a imagem é formada por aspectos **cognitivos** (vinculados ao conhecimento real e comprovado das coisas), mas também **afetivos** (de caráter emocional), com influência mútua e íntima. Assim, as mesmas peças podem ser interpretadas de maneira completamente diferente por pessoas diferentes por causa de seus filtros pessoais e das experiências anteriores que tiveram.

Mais um ponto destacado por Capriotti é que, dependendo do grau de importância ou interesse que uma coisa, sujeito, empresa ou situação tem para determinado indivíduo, a rede de atributos associada pode ser mais ou menos desenvolvida. O grau de desenvolvimento pode se dar por **amplitude** (número de atributos) ou **profundidade** (grau de abstração).

Imagem é o conjunto de significados que uma pessoa associa a uma organização.

O processo de formação da imagem é sempre bastante complexo, pois é o resultado de uma abstração que cada indivíduo forma em sua mente a partir de operações de simplificação com atributos mais ou menos representativos para ele. Esses atributos são, em sua maioria, provenientes de três fontes de informação: os meios de comunicação de massa, as relações interpessoais e a experiência pessoal. Assim, pouco adianta a empresa investir milhões em campanhas publicitárias dizendo que ama seus clientes se seus amigos e sua experiência pessoal dizem o contrário.

Em resumo, a imagem corporativa é constituída por retalhos do que a empresa é, o que faz e o que diz. O indivíduo irá "costurar" esses retalhos de acordo com seus filtros, suas crenças e o conjunto de experiências subjetivas anteriores.

Identidade é realidade (objetiva); imagem é percepção (subjetiva).

Por tudo o que foi visto até aqui, já deu para concluir algumas coisas:

1. É impossível moldar, redesenhar, redefinir, construir ou alterar de qualquer maneira que seja a imagem de uma empresa, pelo simples fato de que

ela está dentro da cabeça de cada pessoa, à qual ninguém tem acesso.

2. É um absurdo a existência de profissionais que oferecem serviços de mudança de imagem, simplesmente porque isso é uma coisa que está além da capacidade de qualquer ser humano, por mais competente que seja. A não ser que se pense em usar técnicas de lavagem cerebral em escala...

3. Mesmo que se tivesse acesso ao cérebro de cada consumidor, seria dificílimo controlar a imagem, uma vez que, como vimos, cada um interpreta as mensagens recebidas à sua maneira.

A imagem não é algo controlável; apenas influenciável.

Ok! Então quer dizer que já que não posso fazer nada a respeito da imagem, devo demitir todo o departamento de marketing e começar a rezar para a minha empresa ser bem vista pelo mercado?

Não! Pelo contrário: marketing é essencial para qualquer empresa. Como já visto, não se tem controle sobre a imagem, mas a empresa certamente tem um papel preponderante na sua construção.

Não se pode esquecer que é a empresa que distribui as peças do quebra-cabeça e é justamente aí que ela precisa manter a coerência e a sintonia com a sua identidade.

Peças bem encaixadas e distribuídas de maneira compatível com os atributos da identidade podem não garantir o resultado desejado na cabeça do consumidor, mas certamente aumentam enormemente as chances de a empresa ser vista da maneira como ela realmente é.

Os consultores Brandt e Johnson (1997, p. 100) apresentam um quadro bastante esclarecedor sobre as diferenças entre os conceitos de imagem e identidade (Quadro 4).

Imagem	Identidade
Aparência	Essência
Ponto de vista dos receptores	Ponto de vista dos emissores
Passiva	Ativa
Reflete qualidades superficiais	Reflete qualidades duradouras
Visão retrospectiva	Visão voltada para o futuro
Tática	Estratégia
Associações existentes	Associações que se quer construir

Quadro 4 – Diferenças entre imagem e identidade. Fonte: Brandt e Johnson (1997, p. 100).

E A TAL DA REPUTAÇÃO?

Outro conceito a ser considerado é o da reputação corporativa. Assim como a imagem, a reputação também está nos olhos do observador. Mas não se pode, de forma alguma, confundir imagem e reputação.

Reputação é um juízo de valor que se efetua sobre a imagem.

Funciona mais ou menos assim: a pessoa (ou o mercado) compara aquele quadro que ela montou em sua própria mente (imagem) com o retrato de uma empresa ideal (ou que ela julga ser ideal). Mais ou menos como comparar uma mulher comum com Gisele Bündchen. Duro, não é? Pois é assim mesmo. Quase matemática: a pessoa mede a diferença entre a imagem que ela percebe e a empresa ideal. Quanto mais próxima do ideal for a imagem da empresa, maior a sua reputação.

Assim, reputação é, na verdade, um juízo de valor que se efetua sobre a sua imagem. A definição formal apresentada pelo autor Norberto Minguez é: "*reputação é o resultado do apreço dos distintos públicos que têm algum tipo de relação com uma empresa*" (1999).

É mais o menos o que definem os estudiosos Gotsi e Wilson (2001, p. 29): "*Reputação corporativa é a avaliação global de uma empresa feita pelos* stakeholders. *Essa avaliação é baseada em suas experiências diretas com a empresa, qualquer outra forma de comunicação e simbolismo que forneça informações sobre as ações da empresa e/ou a comparação com as ações de outras líderes concorrentes.*"

Dois outros estudiosos do assunto, Fombrun e Foss (2004), analisaram o que o mercado leva em consideração quando "calcula" a reputação de uma empresa, e resumiram em seis grupos:

1. **Apelo emocional:** o quanto a empresa é amada, admirada e respeitada.

2. **Produtos e serviços:** percepções de qualidade, inovação, valor e credibilidade dos produtos e serviços que a empresa comercializa.

3. *Performance* **financeira:** percepções sobre lucratividade, perspectivas e risco.

4. **Visão e liderança:** O quanto a empresa demonstra ter visão clara e forte liderança.

5. **Ambiente de trabalho:** percepção de quão bem a empresa é administrada, como é feito o trabalho e da qualificação de seus funcionários.

6. **Responsabilidade social:** percepções da empresa como boa cidadã e suas relações com a comunidade, seus funcionários e o ambiente.

    A reputação faz muita diferença quando alguém precisa confiar na empresa por algum motivo específico. Um exemplo clássico é uma pessoa que vai ao supermercado comprar uma lata de molho de tomate e, quando chega em casa, vê que ela está amassada. Na cabeça dessa pessoa, a culpa é de quem tiver pior reputação: o supermercado, o fabricante ou o moço que a ajudou a levar a compra até o carro. *Softwares* também são assim: se algo deu errado e a empresa fornecedora não tem boa reputação, você vai achar que é um *bug*. Se a marca do computador não for boa, você vai achar que a culpa é da máquina. Mas se você está trabalhando num Apple, vai achar que a culpa é sua...

    A reputação da empresa é tão importante que pode fazer ações subirem ou descerem, as compras aumentarem ou diminuírem, os funcionários ficarem mais satisfeitos ou fazerem uma greve, os fornecedores concederem mais ou menos prazo e por aí afora.

Mário Rosa, jornalista e especialista em assuntos relativos à imagem, publicou o ótimo *A reputação na velocidade do pensamento* (2006). Ele defende que recursos tecnológicos como câmeras, celulares, minigravadores, youtube, *blogs*, *e-mails* e outros que tais estão fazendo com que cada vez mais todos nós tenhamos "telhados de vidro". Nada mais é feito escondido; e há algumas pessoas que ainda não se deram conta disso.

Assim, não basta **parecer**; também é necessário **ser**, pois está cada vez mais fácil desmontar farsas. Ser ético é imprescindível, mas não suficiente. Ninguém está livre de sofrer constrangimentos por causa de palavras impensadas, gestos infelizes ou situações imprevistas.

Mário enumera 73 "mantras.com" que versam sobre a reputação (pessoal e corporativa). Selecionei alguns que considero mais interessantes.

- *Inovação tecnológica significa inovação moral.*
- *Novas tecnologias, novos flagrantes.*
- *Se a forma de errar está velha, imagine a forma de acertar.*
- *Uma nova forma de ver impõe uma nova forma de se expor.*
- *Nova tecnologia = novo tipo de escândalo.*
- *Não existem mais "quatro paredes".*
- *Todos terão direito a 15 minutos de execração.*
- *Todos somos pessoas públicas.*
- *Quem pede transparência tem que oferecê-la.*

- *Reputação é percepção.*
- *Credibilidade não é uma medalha; é uma poupança.*
- *O erro é local. O dano é global.*
- *Marcas alimentam-se de realidade.*
- *Ética é muito. Mas não é tudo.*
- *Viver é trocar imagens.*

As pessoas da organização (todas) devem estar conscientes da importância da reputação para o seu futuro profissional e o da empresa. Pois já se sabe há muito tempo que "à mulher de César, não basta apenas ser honesta. Tem que também parecê-lo".

Por essas e outras é que, mais do que nunca, é tão importante a organização conhecer sua identidade; está cada vez mais difícil (e caro) manter farsas por muito tempo.

OK! MAS O QUE EU GANHO DEFININDO A IDENTIDADE CORPORATIVA?

Apesar da evidente importância que a identidade de uma empresa tem sobre toda a sua gestão, o que se observa é um total desconhecimento sobre o assunto. Mesmo nos países mais desenvolvidos na cultura empreendedora, a identidade não é tratada com a gravidade devida. Basta que se conheçam as principais conclusões resultantes da discussão dos maiores especialistas do mundo no Foro Europeo de Madrid de 2002:

"Ninguém sabe o peso que a identidade e a imagem têm no sucesso e nos resultados das empresas."
Joan Costa (2003, p. 70)

Joan Costa ainda chama a atenção para o fato de que podemos saber o que o consumidor faz com um produto que ele comprou, pois é um ato verificável. Mas não sabemos o que as pessoas fazem com as informações que recebem, porque nem sempre há uma relação de causa e efeito clara e observável entre a informação e a atitude.

Esse desconhecimento, ainda segundo o autor, provoca um problema frequente: a contradição entre a **identidade objetiva** (o que a empresa é na realidade) e a **imagem subjetiva** (o que a empresa induz o mercado a pensar).

A importância de se definir bem a identidade de uma empresa começa pela necessidade de autoconhecimento. Sem saber quem ela é realmente, como uma organização pode fazer seu planejamento estratégico, definir missão, visão, valores? Como pode elaborar um plano de comunicação, se ele corre o risco de comunicar algo que contradiz a essência da empresa?

O que se vê por aí são declarações de missão cujo significado é completamente desconhecido dos próprios funcionários, valores que geralmente refletem apenas o "que o mercado quer" sem nenhuma relação com a real cultura da empresa. Mais que desperdício de recursos, isso é dinheiro investido para prejudicar a própria imagem.

Se a empresa não se conhece ou assume como identidade atributos desejados, mas não verdadeiros, ela distribui ao mercado peças que não se encaixam. A dissonância é percebida de maneira consciente ou não, mas nunca ignorada.

Outra oportunidade em que conhecer a própria identidade é de suma importância está nas situações de crise ou tomadas estratégicas de decisão. Tendo claros os atributos essenciais da empresa, é mais fácil posicioná-la de maneira coerente frente ao mercado, seus colaboradores e seus acionistas.

IDENTIDADE LÍQUIDA

Em todas as minhas aulas e palestras, tento sempre me lembrar de recomendar aos alunos ou ouvintes que, por favor, duvidem de tudo o que eu disser. Faço questão de dizer isso porque não se pode esquecer que estou apenas apresentando a minha visão sobre um assunto baseada nas fontes às quais tive acesso durante a pesquisa. Posso estar redondamente enganada na interpretação ou na escolha de fontes. Se alguém critica e encontra um furo na minha linha de raciocínio, é importante que os argumentos sejam apresentados. Sempre digo que tomara que eu mude de ideia, pois é sinal de que aprendi alguma coisa (o conhecimento evoluiu). Mas adianto que, para que eu mude de ponto de vista, é imprescindível que os argumentos sejam convincentes e muito bem fundamentados.

Dito isso, seja por *e-mails*, comentários ou palestras, ultimamente tenho sido confrontada com o trabalho de um sociólogo polonês muito respeitado e conhecido, Zygmunt Bauman. Ele é autor de uma série de livros e trabalhos sobre a modernidade e cunhou o conceito de liquidez nas atuais relações. São dele os títulos *Medo Líquido, Modernidade Líquida, Medo Líquido* e até, vejam só, *Identidade Líquida*.

O termo *líquido* que ele utiliza tão frequentemente como adjetivo refere-se à inconstância dos conceitos no mundo contemporâneo. Os fluidos, como se sabe, não possuem forma. Eles se adaptam ao recipiente e mudam a todo instante. As constantes transformações da vida social não são mais uma escolha, mas um fato. Tudo é mutante, inconstante, transitório ou, como prefere Bauman, líquido. Mas a pergunta que sempre me fazem é se a identidade também é líquida, está em constante mutação, então o meu método de definição é completamente furado, uma vez que não dá para definir a gelatina que é a identidade de uma empresa.

Lembro que logo que o livro *Identidade* foi lançado no Brasil, em 2005, fui correndo comprá-lo e confesso que a leitura foi bastante tensa. Será que eu estava fazendo tudo errado? Terminei o volume aliviada! Veja só por quê.

Bauman não diferencia os atributos **essenciais** (aqueles que definem a essência e permanecem relativamente constantes ao longo da vida) dos atributos **acidentais** (aqueles que mudam constantemente ao longo do tempo – ajudam a descrever a empresa ou indivíduo em determinado momento, mas não são a essência). Como já disse antes, essa classificação dos atributos não é minha, mas de Sócrates.

Metaforicamente, poderíamos dizer que os atributos essenciais são a alma da empresa e os acidentais seu corpo (que vive mudando).

Bauman considera, por exemplo, a nacionalidade de um indivíduo, sua religião, condição social ou participação política como descritores da sua identidade. Em meu método, jamais descreveria a identidade de uma empresa ou de um profissional nesses termos. Do ponto de vista da gestão, mais relevante que a nacionalidade de uma empresa são seus atributos psicológicos e comportamentais. Assim, em vez de dizer que uma empresa é alemã, prefiro descrevê-la como perfeccionista, formal e racional (se for realmente este o caso). Esses atributos farão parte de sua identidade independentemente do país em que ela atuar (ou mesmo se o país de origem deixar de existir e for incorporado por outro).

Esse brilhante filósofo contemporâneo discute, inclusive, sua situação pessoal, de um polonês naturalizado inglês, para demonstrar a fluidez e inconstância de sua própria identidade. É claro que ele tem razão. Mas se, em vez de indicadores sociais, buscássemos a essência do autor, suas referências poderiam ser mais estáveis.

Quer um exemplo? Quer tenha nascido na Índia, no Brasil ou no Paquistão, quer tenha dado a volta ao mundo ou nunca saído de sua vila, quer fale cinco línguas ou apenas um dialeto obscuro, Bauman deve ter sido curioso e questionador desde pequenininho. Provavelmente, será um velhinho curioso e questionador também, uma vez que esses atributos devem fazer parte da sua essência, pois, de outra forma não conseguiria ter desenvolvido um trabalho tão grandioso.

Os rótulos sociais (gênero, religião, nacionalidade, partido político etc.) têm se liquefeito cada vez mais, porém, o que define como eles serão trabalhados em cada indivíduo são os atributos essenciais de cada um, seu DNA psicológico.

Concordo com absolutamente tudo que Zygmunt Bauman defende, desde que feita a ressalva de que ele está tratando apenas dos atributos acidentais da identidade. Quando trato da gestão nesse contexto, uso uma abordagem diferente da dele, referenciada na filosofia clássica (que ele não rebate, apenas não cita, uma vez que está preocupado com outras questões).

O mundo está cada vez mais líquido sim, mas cada indivíduo, com seus atributos essenciais, é que faz seu próprio copinho...

COMO DEFINIR A IDENTIDADE CORPORATIVA

"A identidade é o principal ativo de todas as empresas, já que é o único elemento diferenciador frente aos concorrentes. Mas há poucas coisas mais árduas para as empresas que definir sua própria personalidade."
Joan Costa

QUE FERRAMENTAS EXISTEM PARA DEFINIR A IDENTIDADE?

Uma vez que se compreende a importância e o alcance de se definir com o máximo de fidelidade a identidade corporativa, a pergunta que se apresenta é: como fazer isso?

Paul Capriotti (2005), um dos maiores especialistas no assunto, relata que há vários instrumentos que podem ser utilizados no trabalho de pesquisa para a definição da identidade: questionários, visitas à empresa, observação do ambiente de trabalho, entrevistas pessoais, reuniões grupais (este último, segundo o autor, é um dos mais eficientes).

Vejamos então as alternativas. A maneira mais comum, barata e utilizada é definir a identidade por meio de entrevistas com os gestores da empresa. Por uma questão de custos, praticidade e até de conveniência diplomática, *designers*, publicitários e profissionais de marketing acabam optando pela entrevista pura e simples com os contratantes (em geral, os gestores da empresa) na construção do *briefing*[5].

Alguns completam o trabalho de determinação da identidade estudando os materiais que a empresa fornece. De todo modo, as distorções são importantes demais para serem ignoradas.

Isso acontece principalmente por causa da confusão nos conceitos (inclusive advindos da formação acadêmica) e acaba-se induzindo o entrevistado a manifestar os seus desejos, e não a real identidade da empresa.

Por mais bem elaboradas que sejam essas entrevistas, elas possuem algumas desvantagens:

1. Os gestores possuem uma visão idealizada da empresa, pois estão consciente ou inconscientemente treinados para mostrar somente o melhor lado; muitas vezes, eles confundem o que a empresa realmente é com aquilo que eles gostariam que elas fossem.

2. Os gestores possuem uma visão parcial da empresa, pois conseguem contemplá-la apenas sob um ângulo determinado (o seu). As distorções são tão importantes quanto as obtidas entrevistando-se somente estagiários, somente gerentes ou somente o pessoal do marketing.

3. Os gestores acreditam que há respostas certas para as perguntas que estão sendo feitas e preocupam-se em acertá-las. Assim, mesmo que a empresa nunca

---

5. Dados de agosto de 2010. Alguns depoimentos de clientes podem ser obtidos em www.ligiafascioni.com.br.

tenha pensado em sustentabilidade ambiental, com toda certeza os gestores afirmarão que este é um dos valores mais importantes da organização (a convicção da resposta dependerá do artigo que eles tenham lido em alguma revista de negócios na última viagem). Por esse caminho, é fácil descobrir que todas as empresas são inovadoras, que as pessoas são o que realmente importa, que seus produtos são focados nos clientes, que estão sempre em busca de sinergia e quebra de paradigmas (além de agregar valor) blá blá blá...

O DNA E A GEOMETRIA

Outro aspecto importante com relação ao ponto de vista parcial que o gestor possui da empresa é o seguinte: o que se quer é definir o DNA da organização, certo? Pense bem, se a gente explorar bem a metáfora, a hélice do DNA é uma figura tridimensional. Qualquer curso elementar de geometria esclarece que não se pode definir uma figura de três dimensões com apenas um conjunto de coordenadas (no caso, o do gestor). São necessários no mínimo três pontos de referência, mas quanto mais dados a gente conseguir, menores serão as chances de desenhar uma hélice deformada e mais próxima da real ela será. Então, quanto mais coordenadas (funcionários), mais fiel será a representação helicoidal do DNA.

Como geralmente o trabalho é feito quando se precisa elaborar ou redesenhar a marca gráfica da empresa, estudos adicionais focados no aspecto gráfico também são comumente feitos.

Assim, alguns profissionais buscam encontrar características convergentes ou divergentes nas marcas dos concorrentes, de maneira que o foco fica muito mais fora do que dentro da empresa (e ainda chamam isso de identidade!).

Há empresas que baseiam sua conceituação em pesquisas de imagem, confundindo completamente as coisas. Como se pode fundamentar a identidade de uma empresa baseando-se unicamente no que ela parece ser?

Outra confusão que acontece bastante é focar a identidade na marca da empresa. Como já esclarecido no capítulo anterior, a identidade é construída pelo conjunto de características próprias da empresa (desejáveis ou não). A marca, como se sabe, é uma entidade concebida para seduzir e encantar, então ela possui apenas características da identidade que se acredita serem positivas.

A marca é constituída por um subconjunto de atributos da identidade que são selecionados para seduzir e fidelizar clientes.

É claro que ninguém vai enfatizar atributos politicamente incorretos no *design* de uma marca, mas nem por isso eles deixam de existir. É importante cuidar para não contradizê-los e, para isso, é preciso conhecê-los muito bem.

Outro fato comum é alguém achar que a identidade da empresa já está definida só porque ela tem uma missão, uma visão e valores escritos num documento muito bem diagramado.

Ok! Mas quem fez o planejamento estratégico? Será que a definição da missão, da visão e dos valores não sofre um pouco dos mesmos problemas das entrevistas com os executivos (idealismo, visão parcial, confusão entre desejos e fatos)?

Os valores definem o que é importante para a empresa, não a sua identidade.

Aliás, para esclarecer: planejamento estratégico é uma ferramenta importantíssima para a gestão da empresa. Seria muito interessante e mais produtivo que fosse elaborado depois que a identidade fosse definida. Assim, ele seria mais coerente e realista.

Já vi casos de missão, visão e valores completamente incompatíveis com a identidade da empresa, verdadeiras peças de ficção corporativa.

Cuidado! Missão, visão e valores não são suficientes para definir a identidade.

Um caso muito comum é a empresa precisar de uma campanha institucional e contratar uma agência de propaganda para fazer o trabalho. Não é raro os valores enfatizados na campanha serem definidos numa reunião de *brainstorming*. Pode até ficar muito interessante, mas isso definitivamente não é identidade corporativa!

Pode-se definir a identidade da empresa com um longo período de convivência, observando detalhes, relacionamentos, atitudes, reações e históricos, porém, a tarefa pode demandar um tempo nem sempre disponível.

Além do mais, as conclusões seriam bastante intuitivas e dependeriam muito das oportunidades de convivência e do contexto em que o trabalho foi realizado.

O *workshop* de identidade corporativa do método GIIC® — Gestão Integrada da Identidade Corporativa — foi desenvolvido como alternativa para solucionar o problema de definição de identidade corporativa com o mínimo de distorções, rapidez e redução de custos.

O Quadro 5 mostra as várias formas de se definir a identidade corporativa de uma empresa, bem como suas vantagens e desvantagens.

Método	Vantagens	Desvantagens
Entrevista com executivos	Rápido e barato	Visão parcial e idealizada; confusão entre o real e o desejado.
Estudo da concorrência	Rápido e barato. Fornece dados interessantes para a estratégia	Não define a identidade da empresa, pois o foco está fora dela.
Pesquisa de imagem	Fornece dados interessantes para a estratégia.	É caro. Não define a identidade da empresa, pois o foco está na imagem (o que ela parece ser), não no que ela realmente é.
Definição de atributos baseados em objetivos	Rápido e barato.	Não define a identidade da empresa, é mais uma lista de desejos.
Basear-se no planejamento estratégico (missão, visão, valores)	Aproveita dados do planejamento estratégico.	A missão nem sempre é coerente com a identidade, já que pode ter sido definida como uma intenção, não um fato. O mesmo ocorre com a visão e os valores. Os valores definem o que é importante para a empresa – não seus atributos essenciais.
Convivência e Observação	Fornece dados interessantes e pode reduzir bastante as distorções se o trabalho for bem feito.	É caro e demanda muito tempo (nem sempre disponível). Baseia-se muito na intuição do observador.
Workshop de identidade corporativa (método GIIC®)	Rápido, define a identidade com poucas distorções.	Exige um consultor qualificado e disponibilidade da equipe. Custo médio.

Quadro 5 – Quadro comparativo de métodos para a definição da identidade corporativa.

HISTÓRICO DO MÉTODO GIIC®

O método nasceu de minha tese de doutorado (2003) e a ideia era criar um índice que conseguisse medir numericamente a diferença entre o que a empresa era de fato (identidade) e o que ela parecia ser (imagem). Utilizei a lógica difusa como recurso para reduzir as distorções provocadas pelo uso da linguagem natural nas entrevistas.

O método, chamado *IFIC – Índice de Fidelidade à Identidade Corporativa* – foi testado em 19 empresas de base tecnológica de Florianópolis.

Na tese, eu partia do princípio de que seus gestores definiam a identidade da empresa (eu ainda aprenderia muita coisa depois disso!) e utilizava o ponto de vista deles como referência. Os gestores preenchiam um questionário onde indicavam, para 10 **adjetivos** dados (ética, responsável, amigável, bem-sucedida e confiável, inovadora, criativa, competente, ousada e líder) o **grau de adequação** percebido por eles (nada, um pouco, mais ou menos, razoavelmente, bastante e extremamente).

A imagem corporativa foi medida utilizando-se o mesmo questionário dos gestores, só que os entrevistados foram separados em três grupos para analisar aspectos diferentes da empresa: a **percepção complexa**, que incluía relações com a empresa de vários tipos (pessoal, comercial, público, privado, ético, moral etc.); o **aspecto visual** (logo, *website* e ambiente); e o **aspecto verbal** (contato telefônico, conteúdo do *website* e o nome da empresa).

Os aspectos **complexos** da empresa foram analisados por representantes dos *stakeholders* (funcionários, clientes e fornecedores), já que estes possuíam históricos de eventos, exemplos de conduta e impressões pessoais.

Os entrevistados que analisaram os outros dois aspectos deveriam ter, como requisito fundamental, o desconhecimento completo da empresa que observariam. A ideia era que eles não tivessem opiniões preconcebidas que pudessem influenciar os resultados. Essas pessoas foram divididas em quatro grupos: os que formaram uma opinião somente a partir do **ambiente** (após visitas monitoradas); os que analisaram apenas a **representação gráfica** da empresa (logo e nome); os que tiveram contato com a empresa apenas por meio do ***website***; e os que obtiveram informações apenas por **contato telefônico**. Esses grupos então construíram a imagem da empresa baseados nas percepções **visual** (representação gráfica, *website* e ambiente) e **verbal** (atendimento telefônico, *website* e nome da empresa).

A Figura 1 resume a organização da pesquisa.

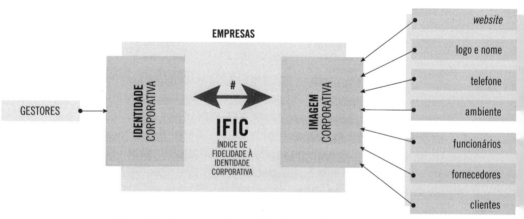

Figura 1 – Esquema do modelo de pesquisa.

Assim, se os gestores da empresa 1 se consideravam pouco ousados (referência para a identidade), essa medida era comparada com a percepção (imagem) de quem só teve contato com a empresa por telefone, por exemplo. Depois, essa referência era comparada também com alguém que formou uma opinião apenas visitando o ambiente e assim por diante. Com isso, para cada empresa, foi possível construir um mapa que mostrava quantitativamente a diferença entre a identidade (percepção dos gestores) e a imagem (percepção dos entrevistados, com cada aspecto analisado tendo sua perspectiva isolada). No final, o trabalho apresentou as distorções mais frequentes para as empresas pesquisadas (por exemplo, o atendimento telefônico e as marcas gráficas foram os aspectos que apresentaram maiores diferenças). Apenas a título de curiosidade, o adjetivo que representou a maior média de distorção entre todas as empresas foi o relacionado à liderança.

Alguns questionários foram preenchidos por *e-mail* e outros pessoalmente. No total, foram 418 entrevistas realizadas, onde a imagem de cada uma das 19 empresas foi analisada por 21 pessoas diferentes, além das referências obtidas com os gestores.

Cada empresa recebeu um relatório com o diagnóstico personalizado para cada aspecto, bem como uma análise geral detalhada dos resultados. Na tese, para preservar os dados confidenciais, foram apresentados apenas os dados consolidados, analisando o grupo de empresas em sua totalidade.

Ok! Imagine só que você tem uma empresa e alguém vem e mostra um diagnóstico detalhado que indica que o seu *website*, por exemplo, causa uma impressão completamente diferente do seu atendimento telefônico e, pior, absolutamente diversa do que você imaginava que sua empresa fosse.

Pois é! Mesmo depois de entregar cada um dos 19 estudos para as respectivas empresas e defender a tese, continuei estudando o assunto (eu tinha me tornado uma compulsiva por identidade corporativa...).

Foi quando uma das empresas participantes me procurou: eles precisavam mudar o nome por questões de legislação e queriam aproveitar para integrar todas as ações e manifestações da empresa de forma a se sintonizarem. Ou seja, eles queriam ajuda para distribuir as peças do quebra-cabeça da imagem de maneira estruturada e coerente. Era uma empresa incubada, muito pequena, mas com gestores jovens e com uma visão estratégica bem aguçada. O desafio estava lançado e fui buscar uma solução.

Bom, pesquisando no meio acadêmico, descobri que nada disponível era viável: tudo muito prolixo, complicado, cheio de teorias e com pouca aplicação no dia a dia de uma empresa que queria resultados práticos. Além disso, havia muita confusão entre identidade corporativa e *design* gráfico; muitos estudos falavam sobre a construção de marcas gráficas, mas não iam muito além disso. Os mais completos preconizavam infinitas sessões de reuniões com os gestores para discutir abstrações – eu não teria coragem de apresentar essas alternativas para uma empresa tão promissora, mas com tão poucos recursos (inclusive de tempo e pessoas).

Por outro lado, no mercado, há grandes empresas especializadas em *branding* e gestão da identidade corporativa (se bem que muito voltadas à questão da marca gráfica). Mas essas empresas não divulgam seus métodos de trabalho para que outros possam aplicá-los; além disso, o custo para contratá-las seria proibitivo para a empresa em questão.

Bem, diante desse cenário, só me restou desenvolver uma solução que conseguisse ajudá-los a entender quem exatamente a empresa era (nesse ponto de meus estudos, eu já havia compreendido que a identidade era muito mais do que aquele questionário que os gestores tinham preenchido para a tese). Eis que aí nasceu o GIIC®, que foi sendo aprimorado a cada aplicação e, apesar de já maduro, continua sempre buscando maneiras de simplificar o trabalho e minimizar as distorções.

Até o presente momento, o método (pelo menos o módulo Identidade) já foi aplicado em 30 empresas e instituições com bastante sucesso.

O GIIC® foi concebido para alinhar a imagem (o que a empresa parece ser) à identidade (o que ela é) de maneira clara e estruturada. Para tanto, o método é organizado em 11 módulos independentes, que podem ser aplicados em qualquer ordem (desde que precedidos pelo módulo Identidade) conforme as prioridades e necessidades da empresa. Uma visão geral sobre o método e seus módulos estão publicados no livro "*Quem sua empresa pensa que é?*" (2006). O presente volume concentra-se em detalhar o cerne do GIIC®, que é o *workshop* de identidade corporativa, onde a empresa passa a conhecer seus atributos essenciais (e acidentais) para que ela possa alinhar suas ações e comunicações de forma coerente.

O WORKSHOP DE IDENTIDADE CORPORATIVA

"Não podemos conhecer e, por conseguinte, saber qual é a essência de um ser; somente podemos conhecê-la através das manifestações perceptíveis."
Jesús María Cortina Izeta

TODO MUNDO JUNTO

A ideia principal que move todo o trabalho é ajudar a empresa a se conhecer de verdade, ou seja, retirar-lhe toda a maquiagem e lhe mostrar um espelho. Desse exercício de autoconhecimento vão resultar os atributos essenciais (os traços principais e mais perenes) e os atributos acidentais (rugas, luzes e manchas temporárias). Mas como fazer isso de maneira relativamente rápida, com um mínimo de distorções e sem custos muito altos?

A linha de raciocínio que utilizei foi a seguinte: quem conhece a identidade da empresa a fundo são as pessoas que trabalham nela, até porque já vimos que a identidade organizacional é um dos fatores de expressão da identidade corporativa; de onde se conclui que os colaboradores certamente têm condições de apontar os principais atributos essenciais da empresa.

Ótimo! Então, a gente reúne os colaboradores e pergunta quem é a empresa e está tudo resolvido. Bem, mais ou menos... É que esse pessoal sofre do mesmo mal que os gestores. Todo mundo vai tentar encontrar as respostas certas para a pergunta "quem é essa empresa?". Os colaboradores também idealizam um pouco a organização (para o bem ou para o mal) e podem provocar distorções importantes no trabalho. Não é tão simples...

A solução encontrada para esse desafio é passar um dia inteiro reunida com os colaboradores, perguntando, exaustivamente, quais são os atributos da empresa em questão. É claro que não dá para fazer isso assim, diretamente. Então, optou-se por utilizar técnicas para se fazer essa pergunta de maneira que o pessoal relaxe, se solte e fale a verdade.

Mas vamos aos detalhes do evento em si para ver como a coisa toda funciona.

QUEM PARTICIPA

Quanto mais conjuntos de coordenadas tivermos para definir a hélice do DNA, melhor. Assim, a gente reduz as distorções provocadas por pontos de vista pessoais. Partindo desse princípio, então, todos os funcionários devem participar (de diretores a faxineiros; de gerentes a estagiários). Uma mescla de pessoas mais antigas do quadro de funcionários e outras ainda em período de experiência; gente que trabalha apenas internamente e gente que trabalha com o público diretamente; enfim, tudo contribui para enriquecer a mistura.

Fica a critério dos gestores incluir parceiros (contadores, representantes comerciais, consultores e outros) que tenham uma relação direta com a empresa e participem ativamente na construção da sua identidade. Se esse número exceder 35 pessoas (maior grupo que um facilitador consegue gerenciar), pode-se optar por uma das alternativas:

1. Definir uma amostra representativa para participar do evento, com colaboradores de todos os níveis.

2. Realizar vários *workshops* até cobrir toda a empresa (podem ser separados por unidades, departamentos, gerências etc.).

3. Realizar vários *workshops* com amostras representativas em várias unidades de negócios.

Para cada uma dessas abordagens, há vantagens e desvantagens. O ideal é que todos os colaboradores efetivamente participem do trabalho, porém, em empresas muito grandes, isso pode levar muito tempo e ter um custo elevado. Geralmente, as organizações optam pela alternativa um (amostra representativa) por ser mais rápida e barata.

O GESTOR PARTICIPA OU NÃO?

Quando o *workshop* pode contar com um número significativo de colaboradores (por volta de 35), muitas vezes ocorre de o gestor (fundador, dono, presidente) optar por não participar, a fim de não constranger o grupo (muitas dessas pessoas nunca foram ouvidas ou participaram de algo parecido, como o pessoal da limpeza, por exemplo). Isso depende muito da personalidade do gestor e da cultura da empresa. Fica a critério dele participar ou não, mas adianta-se que não se tem percebido prejuízos nessa prática, pelo contrário: os colaboradores revelam a identidade da organização com mais desenvoltura.

No caso de a empresa optar por uma amostra representativa, não se pode esquecer que a escolha dos nomes pode gerar fofocas e suposições sobre os eleitos. (Será que serão demitidos? Será que serão promovidos?) Assim, recomenda-se elaborar um mapa dos departamentos e respectivos números de funcionários para que se possa construir uma equipe realmente representativa, inclusive em termos proporcionais (ex.: se o departamento de vendas aloca 40% dos colaboradores da empresa, então 40% do grupo que participará do *worskhop* de 35 pessoas, ou seja, 14 pessoas, deverão vir desse departamento). Nesse caso, deve-se priorizar pessoas mais comunicativas e mesclar o tempo de casa e as experiências.

Para evitar a poderosa "rádio-corredor", o convite deve esclarecer os critérios para a escolha da equipe que participará do *workshop* e os não participantes também devem ser informados, não apenas sobre o evento e seus objetivos, mas de seus resultados também.

ORGANIZAÇÃO DO EVENTO

O *workshop* leva cerca de um dia inteiro e deve acontecer fora do local de trabalho, para que os participantes possam se expressar sem constrangimentos e não fiquem com a impressão de que estão trabalhando. Os locais mais apropriados para essa imersão são hotéis e clubes, mas se a empresa for pequena (grupos até 10 pessoas), pode-se fazer o encontro em um salão de festas de condomínio, por exemplo. Deve-se orientar os colaboradores a evitar o uso de celulares.

As pessoas devem usar roupas confortáveis e informais e a organização deve providenciar as refeições (sugere-se dois lanches e um almoço). Empresas pequenas (até 6 pessoas), que normalmente também possuem mais limitações financeiras, podem realizar o evento em um período de 4 horas, reduzindo as refeições a apenas um lanche (ou uma pizza, conforme o horário). O andamento pode ser combinado com os gestores: pode-se parar os trabalhos nos intervalos dos lanches ou deixar a mesa posta para quem quiser beliscar, tomar café, água ou sucos.

O local deve dispor de uma sala que comporte com conforto todos os participantes e tenha mesas e cadeiras para os trabalhos em equipe. Já foram realizados alguns *workshop*s com todo mundo descalço sentado no chão em colchonetes, mas isso depende da infraestrutura do local e de consulta prévia aos gestores, pois a ideia não é constranger; é relaxar.

Deve também haver uma parede branca para que possa ser usada como painel (a técnica usada é a de visualização móvel com o auxílio de fichas de cartolina).

Se a sala for grande e os participantes forem mais de 30, recomenda-se o uso de microfones para o facilitador, a fim de garantir que todos ouçam e sejam ouvidos (em alguns casos, a empolgação é muito grande; parece que o grupo voltou ao jardim de infância).

Uma questão bastante importante a considerar é que os participantes devem estar cientes e devidamente informados sobre o que estão fazendo ali e qual é o objetivo do evento. Para tanto, recomendo uma palestra preliminar de cerca de 30 minutos, que apresente os principais conceitos relacionados à identidade corporativa, a importância da participação de cada um na construção da identidade da empresa e sua influência na imagem.

Em todas as ocasiões, é imprescindível deixar claras as regras do jogo: os exercícios não possuem respostas certas ou erradas; o resultado deve ser o que a empresa realmente é, não o que ela gostaria de ser.

A palestra pode ser feita no mesmo dia do *workshop* (há que se considerar o desconto no tempo disponível para as atividades) ou em dias anteriores na própria empresa (para que todos sejam informados, pode-se prever mais de uma edição da palestra introdutória).

Como a atividade é muito importante, é necessário que os participantes estejam motivados, até porque boa parte dos *workshop*s é realizada em finais de semana. Assim, uma campanha interna de mobilização é bem-vinda, com convites personalizados e outras ferramentas que a empresa dispuser (cartazes, intranet, *e-mails* etc.).

Pode-se afirmar, sem margem de erro, que além de um evento fundamental para a definição da identidade corporativa, o *workshop* é uma ferramenta de endomarketing poderosíssima, pois o colaborador (tavez, pela primeira vez) vai ser realmente ouvido em uma situação onde a palavra dele pode ter peso equivalente à do presidente.

REGRAS

As regras devem ser sempre lembradas aos participantes (sugere-se a utilização de um cartaz que seja de leitura acessível a todos):

- As respostas referem-se ao que a empresa é, não ao que ela deveria ou gostaria de ser.

- Os trabalhos devem ser realizados em equipe; as respostas serão apresentadas a todo o grupo, que deverá debater e obter consenso para cada resultado.

- As equipes devem recombinar-se a cada tarefa, de maneira que todos tenham a oportunidade de trabalhar com todos.

- Cada cartão (ou ficha) deve ser usado para uma palavra ou expressão, escrita em letra de forma (depois que a ficha for afixada no painel, todo mundo tem que conseguir ler o que está escrito de qualquer ponto da sala).

- Para a realização das tarefas, as equipes podem optar por sair da sala, mas devem comprometer-se a voltar no tempo previsto.

- A administração do tempo é responsabilidade conjunta do facilitador e dos participantes (afinal, todo mundo tem compromisso depois). Por isso, discussões importantes não devem ser interrompidas, mas todos devem estar cientes do impacto do atraso nas tarefas seguintes. Para facilitar, um quadro com o cronograma das tarefas deve estar visível a todos. Outra ideia é imprimir o cronograma no verso dos crachás de identificação.

- Votações só serão realizadas quando o consenso for impossível. Deve-se usar esse expediente apenas em último caso, quando não houver mesmo outra solução. O fato deve ser descrito no relatório e a análise levará esse conflito em consideração.

- Deve-se evitar fazer juízo de valor sobre a possibilidade de um adjetivo ser ou não positivo/negativo, já que essas questões são relativas e este não é o objetivo do trabalho.

- Sugere-se que o facilitador saiba o mínimo sobre a empresa antes de iniciar o *workshop*, a fim de não inferir conclusões incorretas. O melhor é que ele saiba pouco para que, sempre que surgir dúvidas na interpretação dos dados, busque imediatamente esclarecimentos com os participantes durante o evento.

TÉCNICAS UTILIZADAS

Por meio de analogias, confrontações semânticas, estudos de caso e representações, o facilitador vai repetir a mesma pergunta de variadas maneiras: *quais são as características dessa empresa?*

É importante que as formas de questionamento sejam diferentes para que possam ficar claras as contradições e que os atributos reais sejam enfatizados em várias oportunidades (é impressionante como há contradições importantes que os participantes mal percebem).

As dinâmicas são realizadas com o auxílio do método participativo com visualização móvel. Trata-se de um painel de *papel craft* afixado em uma das paredes com fita crepe (onde todos possam ver), onde fichas de cartolina são coladas (podem ser usados anéis de fita crepe ou o painel pode receber uma camada *spray* de cola *post-it*). Dessa maneira, todos têm oportunidade de visualizar as respostas e podem entrar num consenso sobre as que deverão permanecer e as que serão descartadas.

Há que se prever também atividades individuais, para dar chance de manifestação a pessoas mais reservadas ou que se sintam um pouco intimidadas pela presença de superiores hierárquicos da organização (já imaginou a faxineira ter que discordar do presidente durante uma discussão na equipe?). Para resolver isso, todo mundo recebe formulários a serem preenchidos anonimamente em alguma dinâmica.

Algumas formas de representação não verbal também são aplicadas, como, por exemplo, a construção de modelos com massa de modelar e materiais alternativos ou painéis montados a partir de recortes de revistas. Pode-se, dependendo do perfil da empresa, propor um exercício de dramatização com as equipes.

DINÂMICAS DE GRUPO

O conjunto de dinâmicas a ser aplicado depende do perfil de cada empresa, do tempo disponível, das condições do local escolhido para o *workshop* e do estilo do grupo que participará. Como o facilitador possivelmente terá pouco conhecimento sobre a empresa antes do *workshop*, ele deverá contar com um interlocutor dentro da organização que o ajudará a organizar a coisa toda.

Sobre a ausência de informações a respeito da empresa antes do *workshop*, deve-se cuidar para que os participantes estejam cientes dessa condição. Senão, corre-se o risco de o facilitador ser considerado despreparado ou desinteressado (já aconteceu comigo e foi bem constrangedor). Esse tipo de situação não contribui em nada para que os participantes estabeleçam uma relação de confiança com a pessoa que está coordenando os trabalhos, assim como no método que está sendo utilizado.

As dinâmicas são divididas em seis categorias (metáforas, adjetivos, referências, visão, estudos de caso e representações) e devem ser combinadas conforme a análise do facilitador e de seu interlocutor na empresa onde o método será aplicado. O ideal é que o *workshop* contemple todas as categorias.

NOTA: Todos os exemplos relatados a seguir são reais, porém, os nomes das empresas e suas áreas de atuação foram trocados em respeito à confidencialidade que o trabalho exige.

CATEGORIA 1: METÁFORAS

As metáforas e analogias possuem limitações, mas ainda são algumas das melhores formas de se expressar de maneira simples e que todos compreendam. A escolha das metáforas é bastante reveladora para uma empresa; ocorrem discussões sobre assuntos fundamentais com mais leveza por causa do suporte que esse artifício proporciona.

O Quadro 6 traz exemplos de metáforas que podem ser utilizadas. Costuma-se utilizar as três primeiras em praticamente todos os trabalhos e as demais são escolhidas de acordo com a cultura e a área de atuação da empresa. Também pode-se criar novas metáforas de acordo com a necessidade e o contexto. É importante deixar claro que as perguntas são completamente abertas, podendo, inclusive, dependendo do grau de ousadia e inovação da empresa, escolher respostas de seres, objetos e meios que ainda não existem.

Metáfora/descrição	Observações
PESSOA Se a empresa fosse uma pessoa, quem ela seria? Relacione as características dessa pessoa com as da empresa. Seria um homem ou uma mulher? Qual a idade? Tem filhos? É casada, solteira, está namorando? Em que trabalha, o que faz nas horas vagas, como está de dinheiro? O quanto essa pessoa estudou? Ainda estuda? Como ela se parece fisicamente? É gorda, magra, alta, baixa, morena, loura, usa óculos, está sempre na moda, é desleixada com a aparência?	Essa metáfora, por sua complexidade, não deve ser a primeira do *workshop*. É muito esclarecedor, pois revela muito sobre a ousadia ou o conservadorismo da empresa; se está confortável na situação atual ou está em busca de mudanças; e se é mais amigável ou formal, o quanto a estética é importante, se assume compromissos etc. As características devem ser colocadas todas no quadro e discutidas uma a uma, com as respectivas argumentações.
OBJETO Se a empresa fosse um objeto, qual seria? Que características esse objeto possui em comum com a empresa? Por que ele foi escolhido?	Essa metáfora também é bastante útil, pois aqui, geralmente, aparecem várias contradições. Empresas que se acham inovadoras acabam escolhendo objetos primitivos ou convencionais; empresas tecnológicas escolhem objetos mecânicos simples etc. Também é possível observar a multidisciplinaridade, a portabilidade, a facilidade de uso e acesso, a valorização da estética e da função, a preocupação com a eficiência e a sustentabilidade, entre outros pontos.
ANIMAL Se a empresa fosse um animal, qual seria? Quais características o animal possui que também descrevem a empresa?	Essa dinâmica pode revelar conformidade com as regras (cavalos, cachorros e animais domesticados), agressividade, visão privilegiada (aves), capacidade de adaptação, entre outras. Há empresas onde todas as equipes escolhem apenas mamíferos, apenas quadrúpedes, apenas animais aquáticos; já outras contam com um verdadeito zoológico. Cabe ao facilitador analisar o significado das escolhas.
SIGNO Se a empresa tivesse um signo, qual seria? Que características esse signo possui que descrevem a empresa?	Aqui, o facilitador deverá fornecer as descrições detalhadas de cada signo para os participantes (pode ser do horóscopo chinês, não importa – o foco aqui são as características), já que dificilmente todas as pessoas terão conhecimento aprofundado sobre o tema.

O *workshop* de identidade corporativa

CELEBRIDADE Se a empresa fosse uma celebridade (não precisa ser artista; basta ser alguém conhecido), quem seria? Que características essa pessoa famosa possui que descrevem a empresa?	Essa escolha revela a atenção aos parceiros e concorrentes. Praticamente em todas as áreas de atuação há referências importantes e bastante conhecidas, mas muitas empresas ignoram a existência delas ou simplesmente nem se lembram. Além disso, pode-se observar as principais referências e valores importantes para a organização.
COMIDA Se a empresa fosse uma comida (pode ser um prato preparado ou apenas um alimento), qual seria? Que características essa comida possui que também descrevem a empresa?	Esta é uma metáfora muito interessante, pois a forma como o prato é servido revela muitas coisas. Se é um prato sofisticado ou simples; se é quente ou frio; se é individual ou para muitas pessoas; se é bonito ou não; se os ingredientes são exóticos ou comuns; se é caro ou barato; se a preparação é demorada ou rápida etc.
VEÍCULO Se a empresa fosse um meio de transporte, qual seria? Que características esse veículo possui que descrevem a empresa?	Aqui, há muito para inferir sobre a empresa: o veículo é terrestre, aéreo ou aquático? É popular ou muito caro? É de uso coletivo ou individual? Tem autonomia para ir longe ou só anda por perto? É sustentável? É econômico? É confortável? Qual a complexidade de pilotagem? E sua manutenção? Precisa de caminhos ou condições especiais ou anda sobre qualquer terreno?
ESPORTE Se a empresa fosse um esporte, qual seria? Que características esse esporte possui que descrevem a empresa?	Mais revelações interessantes, dependendo das respostas: se o esporte é mais popular ou elitizado; se exige equipamentos ou campos especiais ou não; se é jogado em grupo ou individual; se a partida é longa ou curta; se admite times mistos com homens e mulheres; se exige um preparo físico especial ou não; se é mais artístico ou de desempenho; o quanto depende de estratégia e de sorte etc.
CONSTRUÇÃO Se a empresa fosse materializada para ser representada por uma construção, o que seria? Uma ponte, um túnel, um estádio, um castelo, um prédio, um muro, um clube, um hotel, uma fábrica, um forte, uma pista de *skate*, uma casa etc. Que características essa construção possui que descrevem a empresa?	Aqui, cabe observar se a construção é sólida ou temporária; se é antiga ou moderna; se é leve ou pesada; se é grande ou pequena; se é imponente ou simples; se é popular ou para poucos; se está em bom estado ou precisando de reparos; quanta tecnologia é necessária para construí-la; se é cara ou barata; se é confortável ou não; se é mais funcional ou mais decorativa; qual o papel do ser humano nessa construção (trabalha, vive, diverte-se etc).
MÚSICA Se a empresa fosse uma música, qual seria? Que características essa canção possui que descrevem a empresa?	O tipo escolhido pode revelar muitas coisas: se a música é clássica ou popular; se é brasileira ou estrangeira; se é alegre ou triste; se é cantada por uma banda ou intérprete solo; se convida à dança e à celebração ou à reflexão e isolamento; se fala sobre o futuro ou sobre o passado; se a letra é simples ou complexa.

Quadro 6 – Exemplos de metáforas que podem ser utilizadas.

Mais ideias para analogias: bebidas, móveis, cômodos de uma casa, países, peças de roupa, acessórios, brinquedos, lugares, filmes, obras de arte etc.

Algumas podem ser específicas para a área de atuação da empresa, como, por exemplo, um *software*, um modelo de tênis, um modelo de computador, um livro ou revista etc.

No caso da **PESSOA**, que é a metáfora mais complexa, as equipes respondem a questão separadamente (cada característica em uma ficha). Depois, as fichas são todas misturadas e afixadas no painel agrupadas por assunto. O facilitador deverá então obter o consenso de todo o grupo para determinada característica. Para tanto, recomenda-se que o sexo da pessoa seja deixado por último, pois costuma ser o item mais polêmico. O resultado é a descrição da pessoa-empresa com todos os seus atributos.

EXEMPLO DA METÁFORA PESSOA

A empresa XYZ Software trabalha com *software*s de gestão para escritórios de contabilidade, mas não está tendo o crescimento desejado. O *site* na Internet enfatiza a criatividade, a ousadia e a inovação de sua equipe e de seus produtos.

No *workshop* de identidade corporativa, os participantes escolheram um homem para representar a empresa (não houve muita polêmica nesse sentido, pois eles se consideravam predominantemente racionais), de 25 anos (jovem, mas já tem certa experiência, apesar de ainda não estar no auge), solteiro, bonito, moreno, com porte atlético, sem filhos. Gosta de *gadgets* e de tecnologia, assina revistas relacionadas ao trabalho e, nas horas vagas, navega pela Internet e joga videogames. Trabalha como analista de sistemas numa empresa pequena (ainda não ganha muito bem) e ainda mora com os pais porque está buscando uma oportunidade melhor (no caso da empresa, um investidor; por enquanto, os custos são subsidiados pelo capital dos sócios).

Análise: A primeira coisa que se nota é que o homem é bonito e tem porte atlético, mas não pratica nenhum esporte (foi descrito como um *nerd* típico). Assim, como conseguir os resultados desejados (porte atlético) sem fazer os investimentos necessários (disciplina e ginástica)? O rapaz quer um emprego melhor, mas não está fazendo nada a respeito – nada foi falado sobre participação em associações, cursos, eventos ou oportunidades onde ele possa aumentar e potencializar seu *networking* – o que a empresa está fazendo para conseguir um investidor? (Apurou-se, depois, que o plano de negócios ainda não estava pronto e não havia um investidor específico em mente).

A vida social da pessoa em questão é praticamente nula, o que reduz em muito suas chances de conseguir um emprego melhor e sair da casa dos pais; ele não está estudando atualmente (de fato, a empresa não está desenvolvendo nenhum produto novo).

Sua cultura geral e vida social são bastante limitadas (não tem amigos, não tem namorada, não fala línguas, não faz programas culturais – festas, teatro, cinema, livros, exposições etc.). Também não pode se considerar inovador ou ousado, uma vez que sua vida é bastante previsível (não consta que ele viaje ou pratique esportes radicais) e nada indica que goste de correr riscos. Nenhuma criatividade excepcional foi registrada na descrição.

Atributos enfatizados: conservadorismo, boa auto-estima, juventude, indecisão, isolamento, pouca visão estratégica, otimismo, ligação com tecnologia (racional).

Na metáfora do animal, como pode haver muita variedade de respostas entre as equipes, a sugestão é que se embaralhem todas as características, independente do animal a que ela pertence, e sejam todas colocadas no quadro. O próximo passo é o grupo todo analisar uma a uma (em caso de dúvidas, a equipe que escolheu a característica deve explicar aos demais como ela se ajusta à empresa). Aquelas características que não obtiverem consenso são retiradas do quadro (esse procedimento é raro, uma vez que as equipes sempre defendem muito bem suas escolhas). No final, pede-se para o grupo todo eleger um animal que comporte todas as características; pode ser um dos escolhidos pelas equipes inicialmente ou, em casos onde a empresa é mais ousada, um novo animal pode ser inventado. Também há casos onde se escolhem animais extintos ou mitológicos (o que revela muita coisa a respeito da empresa).

EXEMPLO DA METÁFORA ANIMAL

A empresa ABCD é uma atacadista de produtos de limpeza. Tem algumas lojas no varejo, mas a maior parte do faturamento vem de vendas corporativas. Eles estão crescendo e são líderes no segmento, mas sentem dificuldades com a organização interna, o que estressa a equipe de vendas e provoca retrabalho em várias situações por falhas de liderança e comunicação.

No *workshop*, as equipes escolheram inicialmente um *cachorro*, um *cavalo*, uma *leoa*, uma *águia* e um *rinoceronte* para representar a ABCD. Porém, como a técnica previa que primeiro fossem debatidas as características e depois se elegesse o animal, os participantes entenderam que o conjunto de atributos selecionados seria mais bem representado por um cavalo alado com excesso de peso. As características assinaladas foram: esperto, inteligente, objetivo, atento, confiável, seguro, surpreendente, imprevisível (processos), com personalidade (depende de cada pessoa, não de normas), individualista (dificuldade de trabalho em equipe), pesado, territorial, veloz, capaz de voar alto, prático, forte, agressivo, líder, majestoso, imponente.

Análise: Observa-se que, exceto a águia, todos os outros animais são mamíferos e quadrúpedes, o que denota uma firmeza e uma ligação forte com a terra. Essa característica fundamenta e alicerça a empresa, mas faz com que sua ousadia seja também limitada. O fato de as equipes terem escolhido um cavalo alado se deve à resistência em abrir mão da capacidade de voar (esse atributo foi muito questionado pelos participantes, mas a equipe que o propôs teimou na sua manutenção), já que todos os outros atributos seriam adequados a qualquer dos outros animais escolhidos. Mesmo assim, o voo é mais um desejo do que uma capacidade real, uma vez que todos admitiram que, de fato, a empresa não possui uma visão privilegiada ou a capacidade de planejamento necessária a um animal de rapina como a águia. Para ajustar o desejo à realidade, a solução encontrada foi fazer o cavalo ficar fora de forma, impedindo-o de voar no momento até que ele faça uma dieta e treine bastante (providências que a ABCD precisa tomar). A força a confiança foram novamente sustentadas (já haviam aparecido em outras dinâmicas), assim como a imprevisibilidade (vários dos alimentos citados na dinâmica anterior eram obras de improviso). A desconexão entre os setores foi citada novamente como causa do peso e da ineficiência. Sobre o zelo com os colaboradores, observou-se certa contradição, já que o cavalo era um macho sem filhotes e não parecia especialmente carinhoso ou cuidadoso. É uma proteção relativa e um pouco dependente das circunstâncias.

Atributos mais enfatizados: força, inteligência, individualidade, discrição, porte, indisciplina, conservadorismo, falta de planejamento, desejo de ir mais longe.

As demais dinâmicas, por serem mais simples, não precisam de uma resposta só (até porque esse tipo de consenso causa discussões acaloradas e toma bastante tempo). Nesse caso, basta que as respostas de cada equipe sejam afixadas de forma organizada no painel e que ninguém possua restrições a quaisquer das características. Por exemplo, se uma equipe escolheu um canivete suíço por achar que a empresa realiza várias tarefas diferentes, alguém pode discordar e mostrar, por meio de argumentos, que as várias tarefas pertencem todas a uma só família e não são tão diversas assim. O debate pode levar à retirada do objeto ou de apenas uma de suas características, desde que todos estejam de acordo.

EXEMPLO DA DINÂMICA COMIDA

A Fábrica de Móveis ZYX é pequena (são 13 colaboradores) e está em busca de um investidor para ampliar sua capacidade de produção, já que as vendas estão aumentando e a empresa está crescendo.

No *workshop*, a empresa foi dividida em duas equipes, que escolheram os seguintes pratos: sanduíche (expansível, incompleto – sempre pode se acrescentar algo mais, sortido) e pizza (versátil, pode ser montada em módulos/sabores, flexibilidade, ingredientes de boa qualidade, comodidade, boa relação custo-benefício, acessível).

Análise: Fica evidenciada a necessidade que a ZYX possui de se adequar a qualquer situação com produtos "populares, mas honestos e caprichados". Os pratos não são sofisticados, não utilizam ingredientes raros, não possuem uma preocupação estética destacada. São de preparação simples e suculentos, resolvem o problema de matar a fome com rapidez e eficiência. Nos dois casos, aparece a questão da personalização: enquanto no sanduíche o cliente pode escolher o seu recheio, no caso da pizza é possível mesclar sabores para atender aos gostos das pessoas que irão compartilhá-la. Parece um posicionamento de melhor relação custo-benefício para o cliente, porém, não apresenta claramente um diferencial que garanta fidelidade. A "pizza" e o "sanduíche" ZYX parecem bons, mas não apresentam nenhuma característica diferenciadora das demais pizzas e sanduíches bons. Poderia ser um "molho" ou até mesmo um atendimento realmente especial (que não foi lembrado por nenhuma das equipes).

Atributos mais enfatizados: flexibilidade, acessibilidade, personalização, qualidade.

Observa-se, nos trabalhos realizados, como as pessoas vão materializando e entendendo melhor a organização, suas dificuldades, suas limitações, suas qualidades, mesmo que de uma maneira indireta.

EXEMPLO DA DINÂMICA CELEBRIDADE

A empresa desenvolvedora de *software* NMN possui 32 funcionários e está em franca ascensão; participa ativamente de programas sociais (seus gestores são bastante religiosos e costumam usar frases bíblicas no material de divulgação).

No *workshop*, duas equipes escolheram a presidenciável Marina Silva (ascensão, vitoriosa, coragem, perseverança), uma escolheu Silvio Santos (empreendendor, expansivo, tradicional, faz parte da rotina das pessoas), uma optou pela atriz Angelina Jolie (acolhedora, humilde, inteligente, vaidosa, reservada) e a última entendeu que o apresentador Jô Soares poderia representar bem a empresa (renovação, dinâmica, adaptabilidade, credibilidade, irritante – às vezes, fala mais que o entrevistado).

Análise: Observa-se que as celebridades escolhidas são discretas e primam pela preservação de sua vida pessoal. Até onde se sabe, os personagens possuem uma vida particular bastante convencional, sem escândalos ou hábitos exóticos (exceto por Angelina Jolie, mas a fase excêntrica já foi superada).

Todos os personagens escolhidos são muito carismáticos e polêmicos; a fama se dá mais pela capacidade de comunicação do que propriamente por competências técnicas específicas.

O otimismo e a autoconfiança são patentes, além do reconhecimento de que ainda há muito que evoluir antes de chegar ao topo.

Os personagens contam com alta popularidade entre o público em geral, não dependendo de nichos (como o são empresários, escritores, cineastas ou atletas de esportes menos conhecidos).

Observa-se que falta um pouco a noção de *benchmarking*, uma vez que há várias celebridades no setor de *software* e nenhuma foi citada (ex: Steve Jobs, Bill Gates, os fundadores do Google, do Facebook e afins). Seria interessante a empresa reconhecer a existência de referências, tanto para aprender a respeito como também para evitar atitudes que não se aplicam à realidade local. A empresa demonstrou que não está atenta ao cenário na qual está inserida, o que pode configurar, a longo prazo, um comportamento de risco.

Há também um viés assistencialista observado em quase todos os eleitos (exceto Jô Soares, todos têm algum apelo social); a ajuda não depende de mérito ou capacidade, mas de sorte e necessidade.

Atributos mais enfatizados: discrição, seriedade, inteligência, credibilidade, persistência, perseverança, autoestima, assistencialismo, capacidade de adaptação, comportamento conservador.

Essas dinâmicas também permitem que se identifiquem contradições (quem se achava muito acessível e popular começa a perceber que não é bem assim; quem se achava muito inovador e ousado se dá conta de que o comportamento da empresa não depõe a favor desses atributos) e ênfases (empresas para as quais a estética é um fator determinante expressam isso em quase todas as metáforas; empresas mais despojadas, voltadas primordialmente à função operativa, são coerentes nas suas escolhas).

CATEGORIA 2: ADJETIVOS

Pode-se utilizar a forma convencional de perguntar os atributos da empresa de maneira aberta, para depois classificá-los em positivos ou negativos conforme consenso. Porém, em geral, essa dinâmica provoca polêmicas que não acrescentam muito à discussão.

O formato mais utilizado na aplicação do método GIIC® atualmente, é realizar a tarefa de maneira individual, já que todos tiveram a oportunidade de mostrar suas preferências em grupo nas outras dinâmicas.

Ainda assim, a pergunta pode ser aberta ou fechada. No caso da escolha aberta, onde o participante pode escolher as palavras que quiser, corre-se o risco de se obter um universo de respostas tão amplo que dificulte a tabulação. Para a resposta fechada, fornece-se uma lista definida e uma caneta a cada um dos participantes.

Eles deverão escolher **5 adjetivos que NÃO descrevem a empresa** (a confrontação semântica é utilizada para que eles tenham que meditar mais a respeito das respostas, e não respondê-las de forma automática e fortemente influenciados pelas dinâmicas anteriores).

Essa dinâmica não toma muito tempo (cerca de 10 minutos), é útil para se detectar contradições e ênfases, além de dar oportunidade aos mais tímidos de se manifestar.

Um cuidado que se deve tomar é com relação à limitação de vocabulário dos participantes. Muitos dos adjetivos podem ter seu significado desconhecido e algumas pessoas se sentem constrangidas em perguntar, o que dificulta a aplicação da dinâmica. Assim, recomenda-se utilizar palavras simples e de uso corriqueiro por todos os grupos sociais (ver Quadro 7).

Em alguns casos, onde o estilo de gestão intimida a participação dos colaboradores (percepção devidamente registrada no relatório), essa atividade é fundamental. No relatório, apresentam-se os mais votados e analisam-se as respostas em relação às dinâmicas anteriores.

Quente	Sensível	Emotiva	Comedida	Competitiva
Fria	Racional	Pacífica	Sentimental	Equilibrada
Criativa	Curiosa	Motivada	Guerrreira	Imprevisível
Séria	Segura	Idealista	Sofisticada	Planejadora
Amigável	Insegura	Intuitiva	Cautelosa	Condescendente
Centrada	Simples	Sociável	Ousada	Empreendedora
Lógica	Gregária	Inteligente	Corajosa	Benevolente
Prática	Protetora	Previsível	Disciplinada	Independente
Flexível	Rebelde	Disciplinada	Conformista	Democrática
Justa	Modesta	Introvertida	Dominadora	Perfeccionista
Líder	Calada	Dedicada	Despojada	Extrovertida
Sincera	Prudente	Orgulhosa	Entusiasta	Pacificadora

Quadro 7 – Exemplo de adjetivos que podem ser utilizados em uma dinâmica com perguntas fechadas.[6]

---

6. A lista de adjetivos foi inspirada em alguns capítulos referentes a tipos e traços objetivos e subjetivos do livro Gordon (2006).

EXEMPLO DA DINÂMICA ADJETIVOS

A BLÁBLÁ Comunicação Integrada possui 37 funcionários e trabalha principalmente com assessoria de imprensa e relações públicas para clientes corporativos. Apesar da área de atuação, um dos maiores problemas detectados é a deficiência na comunicação interna, pela falta de processos formais e ferramentas que organizem o grande volume de dados com os quais a organização trabalha.

No *workshop*, perguntados sobre as carcaterísticas que a BLÁBLÁ *NÃO POSSUI*, os participantes escolheram, pela ordem de preferência das 5 mais votadas: simples (22 votos), calada (19 votos), insegura e fria (13 votos cada) e justa (11 votos). As palavras c*onformista, perfeccionista, sentimental, modesta, motivada, planejadora, benevolente* e *despojada* receberam mais de cinco votos cada.

Análise: Observa-se que mais da metade dos colaboradores entende que a BLÁBLÁ não é simples e boa parte percebe a empresa como não sendo calada (deve estar relacionado à área de atuação da empresa, mas preocupa o fato de esse adjetivo não ter sido o mais votado). A empresa também é considerada segura para se trabalhar, talvez devido à sua história, situação financeira atual e carteira de clientes. Os resultados indicam que a BLÁBLÁ não é uma empresa fria ou que se conforma com os fatos sem reagir.

É importante dedicar atenção especial para a quantidade de pessoas que consideram a empresa injusta na tomada de decisão (quase 30% votou no adjetivo justa como não sendo adequado para descrever a organização). Correspondendo ou não à situação real, o fato é que essa percepção predomina (talvez por falhas na comunicação sobre os critérios na tomada de decisão).

As contradições com poucos votos, como as que ocorreram, são comuns, provavelmente causadas por atributos não muito marcantes, entendimento equivocado da proposta ou mesmo distração.

Não ficou claro se a BLÁBLÁ pauta mais suas decisões no lado racional ou no emocional; parece que a empresa tende a equilibrar as duas vertentes.

Atributos mais enfatizados: complexa, extrovertida, comunicativa, segura, calorosa, não conformista, injusta.

CATEGORIA 3: REFERÊNCIAS

Essa dinâmica revela as ambições da empresa e a consciência de referências no seu setor de atuação.

Aqui se solicita a cada equipe que escolha uma empresa que seja alvo de admiração; esclarece-se que essa empresa não precisa atuar na mesma área. As equipes devem listar também características dessa empresa que a tornam reconhecida (uma ficha com o nome da empresa e mais 3 a 5 fichas com características).

Pode-se observar se as equipes reconhecem os outros atores na sua área de atuação, além de concorrentes (apesar de não ser obrigatório, é um bom sinal que sejam citadas algumas empresas do mesmo setor, num exercício de *benchmarking*).

Para a definição do consenso, primeiramente, os participantes deverão concordar que as empresas escolhidas realmente possuem as características apresentadas (uma equipe pode dizer que a Amazon faz um trabalho social relevante e alguém do grupo discordar dessa informação, por exemplo). Num segundo momento, o grupo deve dizer se a empresa cuja identidade está sendo pesquisada tem interesse em possuir a característica admirada com o mesmo grau de excelência (há trabalhos em sustentabilidade admirados, mas esse objetivo pode estar fora do foco da empresa em questão).

Por último, os participantes devem indicar se já se iniciou o processo de caminhada rumo à excelência para cada um dos atributos desejados ou se já atingiu um nível de excelência que considera adequado e proporcionalmente equivalente à empresa admirada.

Em muitos casos, esta é a primeira vez que o grupo se dá conta de que deseja um cenário, mas não está trabalhando proativamente para construí-lo.

EXEMPLO DA DINÂMICA REFERÊNCIAS

O cursinho pré-vestibular PROVA, que fica no Estado do Pará, tem concorrentes fortes na cidade onde atua. A maior parte dos seus alunos é das classes C e D e a organização pretende ampliar sua área de atuação para cursos de formação pós-ensino médio (tecnólogos). A instituição conta com 40 funcionários.

No *workshop*, as equipes escolheram as empresas *Avon* (potencialização da marca, visão de mercado, investimento em mudanças); *Petrobras* (bons salários e benefícios trabalhistas, credibilidade, investimento em pesquisa); e *Disney* (encanta o público, excelência, comprometimento do elenco e homogeneidade – os funcionários podem atuar em qualquer função, substituindo um faltante).

Análise: Foi perguntado ao grupo se alguma dessas características era francamente desejada pelo PROVA (se a instituição já manifestou sua intenção de trabalhar esse aspecto rumo à excelência apontada pelas referências escolhidas).

Nesse ponto, o grupo concordou que o PROVA pretende potencializar a sua marca, assim como a AVON, criando subprodutos que possam desfrutar da credibilidade da instituição. Também o investimento em mudanças foi apontado como intenção declarada, haja vista as várias consultorias que a instituição tem contratado.

Outro item que já está num estágio um pouco mais avançado do que a intenção, porém ainda não atingiu o nível de excelência da Disney, é o comprometimento dos colaboradores, que realmente acreditam no sucesso e no futuro da instituição.

Um aspecto preocupante é que, das empresas admiradas, nenhuma é uma instituição de ensino ou pesquisa, o que denota indiferença ao ambiente e à concorrência, mesmo que apenas para fins de *benchmarking*.

Quem tem o crescimento e a excelência como foco precisa conhecer as melhores práticas das instituições que já atingiram esse patamar ou, pelo menos, reconhecer as líderes como referências inspiradoras.

Atributos mais enfatizados: otimismo, comprometimento, investimento em mudanças, calor humano, não conformismo, falta de visão do mercado, falta de visão estratégica.

CATEGORIA 4: VISÃO

As dinâmicas dessa categoria têm como objetivo avaliar se os colaboradores estão alinhados à visão da organização; aliás, mais do que isso, se estão comprometidos e se a visão é clara e desejada por todos.

Foram elaboradas duas dinâmicas diferentes que podem ser aplicadas conforme o perfil da empresa. Elas revelam, muitas vezes, a inconsistência do planejamento estratégico não participativo ou incorretamente comunicado. É comum o cenário ideal não contemplar os objetivos da missão e da visão.

Em equipes pouco comprometidas com a estratégia, o cenário inclui um ambiente de trabalho sensacional e benefícios diversos para os colaboradores, sem, porém, contemplar os objetivos da empresa. Não raro, os clientes são completamente ignorados ou esquecidos. Um dos resultados colaterais desse trabalho é justamente medir o grau de comprometimento e entendimento dos objetivos estratégicos, a fim de apoiar o processo de tomada de decisão na empresa.

a. MANCHETE DESEJADA

Nesse caso, pede-se às equipes que imaginem que elas têm o dom de prever o futuro ideal para a empresa e precisam expressar isso escrevendo o que gostariam de ler sobre a empresa em uma manchete de jornal.

A metáfora é bastante reveladora em vários aspectos: em alguns casos, o nome da empresa é omitido (ex: "*Empresa paranaense ganha prêmio*" em vez de "*Empresa YYY ganha prêmio*"), denotando discrição extrema. Em outros, as manchetes nada têm a ver com os objetivos formais da empresa (quem dizia que queria ser reconhecido por sua excelência no atendimento, por exemplo, faz uma manchete sobre abertura de mais uma filial). Nessa dinâmica, não é necessário debate, apenas a análise posterior no relatório.

EXEMPLO DA DINÂMICA MANCHETE DESEJADA

A empresa fabricante de *nobreaks* (equipamentos para manutenção do fornecimento de energia elétrica quando ocorre um *blackout*) LUZ possui 12 colaboradores e busca um investidor para ampliar as instalações.

No *workshop*, as equipes escolheram as seguintes manchetes de jornal:

"Após investimento da Siemens, LUZ finalmente alcança o topo!"

"Bosch compra *startup* brasileira chamada LUZ por nove dígitos!"

Análise: Primeiramente, destaca-se a autoestima elevada da equipe, que vislumbra o seu futuro no cenário internacional e a empresa tendo influência internacional, o que é bastante positivo. A primeira equipe considera o cenário ideal o investimento de uma empresa global, que resolveria todos os seus problemas e atingiria o topo. Mas não diz de que maneira ou qual é o significado do topo, o que faz a visão um pouco confusa e não completamente clara.

Já a segunda equipe apresenta uma visão mais preocupante: o maior desejo da empresa é ser vendida e por muito dinheiro. Aqui, realmente fica confusa a visão da organização, que seria, a princípio, "*tornar-se a principal empresa no mercado mundial para o fornecimento de soluções de grupos geradores de pequeno e médio porte*", mas, aparentemente, só vale até conseguir alguém para comprá-la. Talvez por uma situação circunstancial, parece que o único objetivo da empresa no momento é conseguir um investidor que entre no negócio com bastante dinheiro e tudo estará resolvido (não se consegue vislumbrar o cenário e os objetivos depois que o aporte for realizado). Essa postura pode trazer dificuldades inclusive na busca de investidores, já que o objetivo não parece ser desenvolver o negócio, mas vendê-lo. É mais ou menos como buscar conhecer pessoas com o único objetivo de casar, sem saber o que vem depois. O comportamento certamente afasta os candidatos mais promissores; antes, a empresa tem que se fazer interessante, independente da parceria ou aporte de recursos.

Atributos mais enfatizados: otimismo, ambição, bom--humor, falta de visão estratégica, imediatismo, predominância de comportamento emocional em oposição ao racional.

b. *FUTURO IDEAL*

As equipes devem se reunir e montar o que seria o cenário ideal para a empresa, ou seja, como seria o seu futuro se os acontecimentos superassem as expectativas. Para essa representação, os participantes deverão montar um painel com o material dado (são fornecidos tesoura, cola bastão, uma cartolina branca e revistas diversas para cada equipe). As equipes se reúnem por 10 ou 15 minutos para montar o cenário e depois cada uma descreve os diversos elementos da composição. Essa dinâmica é mais adequada quando o *workshop* tem poucos participantes (10 ou 12, no máximo), pois o tempo de execução é mais demorado, além da explicação da equipe sobre cada elemento da composição.

EXEMPLO DA DINÂMICA FUTURO IDEAL

A DOCERE é uma empresa especializada em educação a distância e está em processo de crescimento. Seus nove colaboradores (incluindo os dois sócios) são bem jovens e bastante dedicados; trabalham muito para garantir o sucesso do negócio.

Os participantes foram divididos em dois grupos e apresentaram os seguintes trabalhos:

Descrição: Segundo a equipe, as ilustrações representam o ideal da empresa de excelência no ambiente de trabalho. No canto inferior esquerdo, aparece a futura sede da empresa, um grupo fazendo ginástica laboral e um estacionamento repleto, representando o fato de cada funcionário ter seu próprio carro. No canto superior esquerdo, aparecem quadros com as palavras-chave importantes para a organização, segundo o grupo: melhor, trabalho, carinho, sonhos. As duas imagens centrais (aquário e chinelo na tela da TV) representam a mobilidade, a versatilidade e o ambiente de trabalho descontraído. O conjunto de objetos com um sapato feminino no centro representa o poder aquisitivo, a beleza e a elegância.

Descrição: Segundo a equipe, buscou-se destacar a mobilidade; cada um pode trabalhar onde estiver, onde se mistura trabalho e lazer. Aparecem também cenários onde se pode tirar férias e os destinos são tão diferentes como cidades europeias e praias. A equipe também acredita que seria importante e ideal a DOCERE patrocinar espetáculos e eventos artísticos: cinema, dança, música e outras manifestações culturais.

Análise: É interessante observar que as duas equipes acreditam que o futuro ideal para a empresa traz benefícios somente aos colaboradores, não aos clientes, o que denota que a DOCERE ainda não é focada no cliente (encantar, entregar valor) como acredita ou gostaria de ser. Não se observam objetivos estratégicos da empresa; a visão (onde se quer chegar) deveria ser representada claramente pelas duas equipes e o que se viu foi a situação ideal apenas do ponto de vista do conforto de quem trabalha na empresa. Não se observam desenvolvimento de novos produtos, crescimento de mercado, encantamento de clientes, ampliação da área de atuação, reconhecimento, inovação, nada. Todas as referências das empresas citadas anteriormente foram sumariamente ignoradas. O fato denota que o plano estratégico não ficou suficientemente claro nem mesmo para os gestores (que participaram do *workshop*) e talvez necessite de revisão.

Atributos mais enfatizados: otimismo, ambição, bom-humor, falta de visão estratégica, foco no crescimento pessoal em detrimento da empresa e cliente, paz, harmonia, predominância de comportamento emocional em oposição ao racional.

CATEGORIA 5: ESTUDOS DE CASO

Os estudos de caso revelam o comportamento da empresa com relação a fatores como a preocupação com a questão ética e a tolerância à diversidade de perfis. Geralmente, analisam-se apenas esses dois pontos, mas nada impede que sejam elaborados casos que contemplem outros aspectos.

Seguem dois exemplos de estudo de caso.

a. ÉTICA

É apresentada uma situação em que a empresa precisa desesperadamente de recursos e se oferece um trabalho questionável do ponto de vista ético. As equipes discutem a questão e tomam as suas decisões. Cabe ressaltar que a reposta não precisa limitar-se ao sim ou não, podem ser inseridas condicionantes e requisitos para a aceitação do negócio.

Num segundo momento, as decisões de todas as equipes são mostradas no painel para debate e elaboração de uma posição única.

EXEMPLO DA DINÂMICA ÉTICA

A empresa PENCIL, que fornece material de escritório, está passando por um momento difícil e recebe uma vantajosa proposta de fornecimento. O contrato é muito importante, o potencial de crescimento é grande e os lucros farão diferença para a sobrevivência da PENCIL. Por meio de contatos, a PENCIL descobre que esse potencial cliente está envolvido em negócios escusos, incluindo superfaturamentos e licitações marcadas para atendimento a órgãos do governo. Como a PENCIL trata a questão?

Resposta: Nenhuma das quatro equipes pareceu incomodada com a situação de sua potencial cliente. As duas equipes fariam o negócio. A primeira enfatizou que a decisão final dependeria de uma análise de risco; a segunda não considerou o fato uma preocupação, uma vez que o serviço estava sendo subcontratado. A discussão girou principalmente sobre o grau de exposição que possivelmente a PENCIL sofreria caso os detalhes do negócio fossem descobertos pela imprensa. Para a empresa, o maior risco seria uma exposição negativa que colocasse em risco seus relacionamentos institucionais.

Análise: A prioridade da empresa foi a discrição, em detrimento de qualquer outro critério.

O que se recomenda, nesse caso, é que a PENCIL não enfatize o atributo ética em suas ações e comunicações. Não se está afirmando (até porque faltam meios para uma conclusão definitiva e esse não é o objetivo do presente trabalho) que a empresa não o seja; mas a ênfase nessa palavra pode provocar debates e polêmicas dispensáveis. A organização possui outros atributos que devem ser priorizados.

Atributos mais enfatizados: despreocupação com a ética, foco em resultados, otimismo, discrição, relacionamentos.

É importante observar que, mesmo que a empresa tenha aceitado o contrato (com ou sem restrições), não existem elementos suficientes para definir se ela é ou não ética. Esta é uma questão complexa e a ferramenta não fornece condições de se fazer essa afirmação de maneira categórica. O que se analisa aqui é se a empresa possui preocupações com o problema da ética e quão relevante é esse assunto no processo de tomada de decisão. No caso do aceite, o que se recomenda é que a empresa não utilize esse adjetivo em suas comunicações a fim de evitar polêmicas dispensáveis; o foco deve ser dirigido a outros atributos da organização.

b. DIVERSIDADE

Aqui, é apresentada uma situação onde a empresa precisa contratar um profissional com um qualificação muito específica e difícil de ser encontrada. São apresentados candidatos que, teoricamente, apresentam um perfil bem diferente da média das pessoas que trabalham na empresa. Analisa-se a capacidade que a organização possui de acolher pessoas com pontos de vista e experiências diferentes do convencional. Para as empresas que se pretendem inovadoras, essa diversidade de perfis costuma enriquecer bastante o ambiente criativo. Empresas conservadoras possuem, em geral, mais dificuldade em conviver com as diferenças no dia a dia, mesmo que teoricamente não julguem os comportamentos alheios.

Foi enfatizado, nessa dinâmica, que a equipe não deveria refletir decisões pessoais, mas as decisões que a empresa tomaria baseada em seu histórico e experiências anteriores. Em resumo, não é o que cada membro faria, mas como a empresa agiria.

EXEMPLO DE DINÂMICA DIVERSIDADE

A empresa de contabilidade NUMBERS possui 45 funcionários e considera um dos seus principais diferenciais a capacidade de manter longos relacionamentos com clientes.

A empresa precisa de um profissional com habilidades bem específicas e raro de se encontrar no mercado. Apresentam-se três candidatos. Os três são muito discretos, mas fazem algumas revelações na entrevista de livre e espontânea vontade. O primeiro, com o melhor currículo de todos, ao final confessa que participa de concursos transformistas como *drag queen* em alguns finais de semana (atenção: nada na aparência ou comportamento dele leva a essa conclusão); a segunda, uma mulher, também possui um excelente currículo, mas revela que se prostituiu no passado para pagar sua formação; o terceiro candidato possui um currículo bom (porém, menos brilhante que os dois primeiros), mas não fez nenhuma confissão bombástica. A empresa não possui restrições de ordem econômica para a contratação (pode contratar nenhum ou todos, se quiser). O que a NUMBERS faria?

Resposta: Os grupos se reuniram e o resultado foi o seguinte: o grupo A contrataria a ex-prostituta; o grupo B, o primeiro e o último candidatos, desde que o transformista tivesse um cargo interno (sem interação com os clientes). O grupo C contrataria um *headhunter* para encontrar outros candidatos. Os grupos D e E contratariam o terceiro candidato.

O grupo A, que contrataria a ex-garota de programa, salientou que ela parecia honesta, sincera, tinha um bom currículo e era batalhadora. O primeiro candidato não seria contratado porque se temia a associação da imagem dele com a da empresa — a principal preocupação, no caso, é no que os clientes poderiam pensar. A orientação sexual não pareceu pesar, mas o comportamento pouco usual mostrou-se incompatível com a prática de relacionamentos institucionais da empresa. Mesmo confrontados com o argumento de que os adjetivos usados para descrever a moça serviriam também para o primeiro candidato, a posição continuou irredutível. Ocorreu o mesmo quando se salientou que seria muito mais fácil um cliente reconhecer a ex-prostituta do que o transformista, uma vez que este estaria completamente irreconhecível em seus trajes de concurso. O grupo A enfatizou que a prostituta não estava mais na ativa, enquanto o primeiro candidato ainda estava; e que seria difícil tratar com uma pessoa que usava "máscaras" em suas horas livres.

O grupo B, que disse contratar o primeiro e o terceiro candidatos, justificou que não contrataria a ex-prostituta porque ela demonstrou não ter escrúpulos para atingir seus objetivos, de maneira a não ser uma pessoa confiável, caso seus objetivos em algum momento passassem a não coincidir com o da empresa. A ex-prostituta, para esse grupo, não aparentava ter dignidade, pois teria uma série de outras alternativas para conseguir o dinheiro necessário à sua formação sem precisar prostituir-se. Com relação ao primeiro candidato, a preocupação com a imagem da empresa também se fez presente, mas o grupo a resolveu quando decidiu contratá-lo apenas para serviços internos, sem interação com o cliente.

Após muita discussão, os cinco grupos decidiram então contratar apenas o terceiro candidato, que aparentemente não apresentaria nenhum risco para a empresa.

Análise: Observou-se que a NUMBERS tem dificuldades em conviver com pessoas com hábitos e valores muito diferentes dos da equipe atual; comportamentos excêntricos ou menos conservadores causam desconforto a ponto de dispensar excelentes currículos.

Cabe observar que a intolerância à diversidade sobrepujou a valorização da franqueza e honestidade do primeiro candidato, que poderia ter sido contratado caso não fosse tão sincero (nada impede que o candidato 3 seja seu colega de desfiles ou tenha hábitos ainda mais exóticos).

Essa característica não é tão problemática dada a natureza do trabalho realizado, pois a NUMBERS trabalha principalmente no âmbito das inovações incrementais e, nesse caso, a ousadia e a quebra de paradigmas não são tão essenciais.

O fator realmente preocupante é o grupo acreditar que um colaborador possa realmente fazer bem o seu trabalho isolado completamente do mundo externo (cliente). Todos os colaboradores devem experimentar esse tipo de interação para que a empresa possa ser realmente excelente do quesito relacionamentos.

Atributos mais enfatizados: discrição, intolerância à diversidade, conservadorismo, relacionamentos, predominância de comportamento emocional em oposição ao racional.

Nesse caso, não deve haver preocupação com o politicamente correto. O objetivo do trabalho é determinar a identidade da empresa; se ela é conservadora e seus colaboradores têm dificuldades em lidar com a diversidade, há que se respeitar. De nada adianta contratar um funcionário que depois será alvo de piadinhas nos corredores e sofrerá constrangimentos velados. Há ambientes que valorizam a diversidade; outros a rejeitam. Forçar a situação não trará benefícios a nenhuma das partes, com desperdício de tempo e dinheiro para todos os envolvidos.

É importante que o facilitador seja diplomático o suficiente para não constranger respostas politicamente incorretas, mas reais.

CATEGORIA 6: REPRESENTAÇÕES

O objetivo nesse conjunto de dinâmicas é fazer com que os colaboradores consigam representar a empresa e seus diferenciais com clareza e, principalmente, que consigam contextualizá-la no ambiente mercadológico.

Seguem dois exemplos de representação: anúncio/propaganda e posição/atitude.

A. ANÚNCIO OU PROPAGANDA

Aqui, o objetivo é mostrar a empresa de uma forma desejável, convidativa e ao mesmo tempo sintética. Dependendo do perfil da organização, as equipes podem criar anúncios impressos, *spots* de rádio ou comerciais de TV. Como o tempo é reduzido, geralmente a opção mais utilizada é o anúncio em jornal ou revista. Oferece-se a cada equipe uma folha com um quadrado desenhado, indicando que aquele espaço pode ser usado como elas julgarem mais adequado para divulgar a empresa. Ressalta-se que o conteúdo será reproduzido na íntegra na capa do maior jornal da região (ou do Brasil, conforme for a atuação da empresa).

Obviamente, não se analisarão os méritos técnicos do anúncio, mesmo que ele seja aplicado em organizações do ramo da publicidade. O exercício é muito revelador porque mostra o que as equipes veem como diferencial da empresa; se elas conseguem sintetizar de maneira sintonizada quem a empresa é, o que ela faz e o que possui de especial. Um aspecto bastante comum observado nessa dinâmica é que as equipes não veem os mesmos diferenciais e algumas até descrevem a empresa de maneira um pouco confusa.

Outro fenômeno comum é empresas que dizem ter foco no cliente esquecerem-se completamente de divulgar maneiras de se entrar em contato (endereço, telefone, *e-mail, site*, horários de funcionamento). Em algumas situações, não há consenso nem mesmo sobre os produtos oferecidos. Nessa dinâmica, não é necessário debate, apenas a análise posterior no relatório.

EXEMPLO DE DINÂMICA ANÚNCIO

A rede de clínicas odontológicas NHAC possui quatro filiais, totalizando 62 funcionários. A empresa optou por fazer apenas um *workshop* de identidade com uma amostra representativa envolvendo todas as unidades. Segundo a empresa, seus diferenciais são a equipe competente e o serviço personalizado.

As equipes apresentaram os seguintes anúncios:

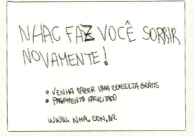

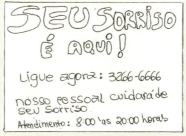

Análise: Observa-se que não ficou claro para nenhuma das equipes qual é o posicionamento da empresa. Uma enfatiza o atendimento personalizado (que, diga-se de passagem, toda clínica odontológica tem, pela própria natureza do trabalho) e a equipe competente (por motivos óbvios, este também não pode ser utilizado como diferencial – competência é o mínimo que se espera de uma profissão regulamentada). Duas equipes ressaltaram o pagamento facilitado. Apenas uma se lembrou que a organização possui quatro filiais, mas, mesmo assim, não colocou maneiras de se entrar em contato. Aliás, o relacionamento com o cliente ficou bastante prejudicado, pois, dos quatro anúncios, apenas um apresentou um telefone de contato (outro colocou o endereço do *site* na internet).

Atributos mais enfatizados: inacessibilidade, bom-humor, posicionamento confuso, dificuldade de relacionamento, dificuldade de comunicação/integração entre as unidades.

B. POSIÇÃO E ATITUDE NO MERCADO

Aqui, o objetivo é perceber se a empresa consegue enxergar-se com clareza no ambiente mercadológico e, principalmente, se ela reconhece os *players*: clientes, potenciais clientes, parceiros, fornecedores e concorrentes; se sua estratégia é clara e se seu posicionamento é conhecido por todo o grupo; se o cenário considera as variáveis do ambiente de marketing (naturais, políticas, econômicas, demográficas etc.), além de avaliar sua auto-estima.

As equipes devem reunir-se e representar, com o material dado, a posição e a atitude da empresa no mercado. É fornecido, para cada equipe, um kit com uma cartolina branca, tesoura, estilete, cola colorida, massa de modelar, caneta hidrocor, clipes, palitos, elásticos, grampos e outros objetos pequenos. As equipes podem escolher o que usar, dispensando alguns materiais, se for o caso.

Nessa dinâmica, pode-se observar o nível de competitividade interna (se as equipes colaboram entre si com a troca de material ou se competem abertamente), o detalhamento nos acabamentos (perfeccionismo), a criatividade na escolha dos materiais (nada é dito sobre usar materiais que não fazem parte do kit — há equipes que usam folhas verdes, crachás, capim, areia e outros materiais encontrados no local do encontro) e o bom humor no desenvolvimento do trabalho. Também é possível observar se o comportamento é predominantemente racional ou emocional.

EXEMPLO DE DINÂMICA POSIÇÃO E ATITUDE NO MERCADO

A empresa SURREAL, que desenvolve *software*s de gestão, ainda está em processo de incubação empresarial e busca um investidor para ampliar os negócios. As duas equipes participantes do workshop apresentaram os seguintes resultados.

Equipe A

Descrição da equipe: A SURREAL é representada como um boneco escalando uma pirâmide (o mercado). Ao redor da pirâmide há pequenos círculos, que representam os clientes potenciais, ligados por uma rede (círculo maior). O gráfico-pizza representa a participação atual da SURREAL no mercado (somente a estreita faixa escura). O círculo menor ao lado do nome representa os clientes atuais da SURREAL.

Equipe B

Descrição da equipe: A SURREAL é representada aqui por canivete suíço formado por uma tesoura, um bastão de cola e um estilete, colocado no centro de uma espiral (mundo girando). A SURREAL estuda o caminho a seguir (aparece uma interrogação no canto), entre os vários segmentos. Os tubos de cola colorida (torres), representam o setor hoteleiro. Os dois bastões brilhantes com "ninhos" na base são a construção civil. O setor têxtil é representado pelo boneco vestido com vários botões. Os círculos entrelaçados e a camiseta indicam o setor esportivo. E, finalmente, a caneta e os clips são os escritórios (o meio empresarial em geral).

Análise: Observa-se que as equipes utilizaram representações abstratas, o que demonstra capacidade de desenvolver ideias mais complexas, não literais ou figurativas. Provavelmente, isso se deve ao tipo de trabalho desenvolvido na SURREAL, predominantemente conceitual. As equipes aproveitaram bem os recursos disponíveis, mas não utilizaram nada que não tivesse sido oferecido (limitaram-se aos elementos do kit). Além disso, todos estavam bem-humorados (pareciam estar se divertindo muito) e houve cooperação entre as equipes (uma equipe emprestou algumas cores de massa de modelar para a outra).

Os concorrentes foram completamente ignorados. Há a consciência de que a SURREAL ocupa uma fatia pequena do mercado, mas a ambição de liderar é clara. Os concorrentes diretos e indiretos não são identificados, bem como suas práticas. Nem mesmo o líder do segmento é mencionado (se é que é conhecido). A empresa se posiciona de maneira tímida e até um pouco insegura quanto aos rumos que irá tomar para atingir seus objetivos. A estratégia também não é clara.

De qualquer forma, o otimismo e as boas perspectivas estão presentes nas duas equipes, assim como a consciência de que há muito trabalho a fazer.

Atributos mais enfatizados: posicionamento confuso, improviso, flexibilidade, estratégia pouco clara, bom-humor, cooperação, criatividade.

A construção do cenário que representa o mercado é um dos itens mais reveladores. Não raro as equipes se esquecem de representar os concorrentes. Houve até o caso de uma empresa que usava o *slogan* "*o cliente é nossa razão de existir*" e simplesmente não mencionou a palavra cliente em todo o *workshop* e ainda se esqueceu de representá-lo no cenário.

As atitudes mais cooperativas ou competitivas (equipes que compartilham material ou escondem a obra durante a composição, por exemplo) são evidenciadas; a capacidade de articulação, a capacidade de abstração ou a representação figurativa simples revelam muito sobre a empresa.

Houve um caso em que nenhuma das três equipes de uma empresa usou os elementos fornecidos. As equipes optaram por desenhar apenas alguns esquemas com pincel atômico sobre a cartolina (fiquei inconsolável; o kit é montado com muito capricho para fornecer elementos interessantes e lúdicos). Na descrição das representações, viu-se que todas eram tridimensionais, porém, representadas bidimensionalmente, o que fazia com que elas fossem pouco óbvias e trouxessem muitas informações implícitas. O gestor, que estava participando, imediatamente reconheceu ser essa uma prática de comunicação informal da empresa e que vinha trazendo muitas dificuldades de relacionamento com os clientes, uma vez que os produtos e serviços eram bastante técnicos. Ou seja, eles representavam tudo bidimensionalmente, mas queriam que os outros enxergassem três dimensões. Esse foi um caso bastante curioso, pois a marca gráfica que representava a empresa era tridimensional (com efeitos de luz e sombra, contando até com uma animação no *site*), completamente em desacordo com a essência da organização.

Há casos em que não aparecem parceiros, apenas concorrentes armados como inimigos. Há também situações em que a empresa é representada por uma casa com pessoas dentro (o mundo lá fora é totalmente esquecido).

Há representações onde não aparecem pessoas, apenas abstrações como mercados ou sacos de dinheiro a serem conquistados. Há cenas de violência (animais atacando ou sendo devorados), cenários contendo antes e depois, esculturas em papel com dobraduras e por aí vai. Enfim, esta é uma das dinâmicas que mais conseguem representar a empresa por dentro e a forma como ela interage com o mercado.

AFINAL, COMO SE CHEGA À DEFINIÇÃO DA IDENTIDADE?

Pois é! O *workshop* foi realizado, gerou o maior burburinho na empresa (em geral, os colaboradores gostam bastante da experiência) e as expectativas quanto aos resultados são bem altas. Então, o que fazer com essas informações todas?

Primeiro, recomenda-se que todas as atividades (principalmente os resultados das tarefas) sejam fotografadas. Aquelas relacionadas à manchete de jornal e ao anúncio/propaganda devem ser guardadas e digitalizadas, assim como a lista de adjetivos. É importante ter tudo isso registrado pelo menos até a apresentação dos resultados, pois, apesar de nunca ter acontecido, alguém pode questionar uma ou outra informação.

O facilitador elabora então o relatório final, que deverá conter a descrição e análise de cada uma das dinâmicas (recomenda-se incluir fotos e imagens ilustrativas). Os atributos mais marcantes, que aparecem em boa parte dos exercícios e de maneira enfática e incontestável, integram o conjunto dos atributos essenciais da empresa. Os demais, colhidos ao longo do trabalho, que refletem acontecimentos atuais, crises ou programas em andamento, que se contradisseram ou que foram esquecidos, passam a fazer parte das características acidentais.

Assim, características como bom-humor, criatividade, seriedade, profissionalismo, agilidade, diplomacia, ousadia, conservadorismo, sustentabilidade, compromisso, respeito pelas pessoas, equilíbrio, valorização do mérito, assistencialismo, acolhimento, flexibilidade, transparência, praticidade, discrição, exuberância, despojamento, preocupação estética, honestidade, afetuosidade, comportamento racional ou emocional, entre outras, podem fazer parte do conjunto de atributos essenciais de uma empresa.

Já características como insegurança, falta de planejamento estratégico, dificuldade de comunicação, desorganização, desconhecimento da concorrência, posicionamento confuso, perda de foco, mau atendimento, entre outras, não devem ser consideradas essenciais, uma vez que podem ser mudadas com relativa facilidade, bastando investimentos em programas específicos.

Pelo evidente volume de informações proveniente do encontro, faz-se necessária uma síntese representativa e fiel à empresa, já que, para resultados mais práticos e eficientes, sugere-se limitar a 10 ou 12 atributos essenciais na forma de um texto corrente que contextualize as palavras-chave.

E PARA QUE SERVE?

A ideia é que a empresa use o relatório "*Identidade corporativa da empresa Tal*" como referência estratégica para todas as manifestações físicas da sua identidade (marca gráfica, *website*, atendimento ao cliente, ambiente, plano de comunicação etc.). É assim que ela desenhará o contorno das peças do quebra-cabeça da imagem que distribuirá por aí e garantirá que elas se encaixarão quando reunidas.

Caso a empresa esteja elaborando ou revisando seu planejamento estratégico, convém utilizar o relatório como referência também e até vale uma análise mais detalhada para verificar se a missão e a visão são compatíveis com o que se obtêve no trabalho. O mesmo vale para planos de comunicação, de carreira, programas de incentivo, campanhas publicitárias e outras ações do tipo. Reformas nas instalações da empresa, redesenho da marca gráfica, desenvolvimento de novos produtos (e embalagens), ampliações físicas, redesenho do *website*, formatação de padronização dos serviços, treinamento de novos colaboradores, fusões e aquisições, enfim, muitas atividades importantes para a organização podem beneficiar-se com as informações sobre a identidade da empresa.

Um caso interessante a relatar foi o de uma empresa de comunicação (vamos chamá-la COMUNICA). Os funcionários eram quase todos jornalistas e o gestor sabia que os salários pagos não eram os mais altos do mercado, por isso estava bastante preocupado com o que ouviria no *workshop*. Ele tinha um pequeno capital disponível para investimento, mas não queria comprometer essa folga aumentando o custo fixo da empresa com o incremento da folha de pagamento. Na véspera do evento, ele me confessou que estava tenso, temendo ser verbalmente apedrejado pelos colaboradores. De fato, ele queria aumentar os salários, mas não havia mesmo como, no momento.

Bom, a grande surpresa é que, durante a realização dos trabalhos, descobriu-se que os funcionários nem estavam assim tão chateados com o salário, pois, na área de jornalismo, era comum as empresas de assessoria pagarem sempre com atraso, coisa que nunca havia acontecido na COMUNICA. Eles não estavam propriamente felizes, é claro, mas este não era o fato que mais os incomodava. A questão era que os monitores dos computadores eram antigos e prejudicavam o trabalho depois de longas horas, além de as máquinas serem muito lentas. Na verdade, nem os próprios funcionários tinham se dado conta dessa questão premente antes de debaterem as empresas admiradas na dinâmica REFERÊNCIAS.

O gestor ficou aliviado, pois o capital que dispunha era suficiente para trocar as máquinas e deixar todo mundo mais satisfeito, sem ser necessário aumentar o custo fixo que ele tanto temia. Mas como obter essa informação sem reunir as pessoas e conversar sobre a empresa de maneira descontraída e lúdica? Nesse ponto, o *workshop* demonstrou um efeito colateral comum, pois, além da definição da identidade, trouxe à luz informações que não seriam conhecidas de outra maneira.

Outro caso interessante foi o de uma empresa de tecnologia (vamos chamá-la CHIP), que estava numa situação estável, com um grande cliente fixo, na época em que o *workshop* foi aplicado. Alguns meses depois, esse cliente rescindiu o contrato por dificuldades financeiras internas e a empresa mergulhou numa crise. Nessa ocasião, os gestores receberam a oferta de uma outra empresa que os queria como fornecedores para um negócio que incluía alguns subornos e outros procedimentos menos ortodoxos. Os três sócios, desesperados, relataram que passaram noites em claro decidindo se aceitavam ou não a proposta, pois a situação era mesmo calamitosa, próxima da insolvência. Uma madrugada, sentado sobre a escrivaninha, um dos sócios deixou cair o relatório no chão e começou a folheá-lo, esperando se acalmar. Foi quando se deparou com a página que descrevia a dinâmica ÉTICA, onde eles afirmavam ser uma empresa séria, que jamais admitiria participar de negociatas. Na página final, que descrevia a identidade da empresa, eles leram:

"A CHIP valoriza prioritariamente a discrição, o trabalho, o mérito e a inteligência. É íntegra, honesta, competente, perfeccionista e possui grande capacidade gregária. É simples, despojada e bem-humorada. A empresa é conservadora, predominantemente racional e assertiva na tomada de decisões. É perseverante na busca de seus objetivos e está preocupada com a sua contribuição para que o mundo seja um lugar melhor para se viver."

Nesse momento, José (vamos chamá-lo assim) se deu conta de que eles sequer deveriam ter cogitado a possibilidade de aceitar a proposta. Caso o fizessem, estariam violentando sua própria identidade, o que traria, com certeza, muitos problemas mais tarde. Os três tomaram a decisão com traquilidade e, segundo o relato, dormiram tranquilamente como há semanas não o faziam. Encontraram outras maneiras de contornar a situação e hoje a empresa é um sucesso em franca ascensão, um daqueles lugares para onde dá vontade de mandar o currículo!

ALGUNS DETALHES SOBRE O *WORKSHOP*

QUANTO TEMPO?

Estimar o tempo de um *workshop* não é tarefa fácil, pois é preciso administrar muito bem as variáveis. O facilitador terá que calcular a duração de cada dinâmica de acordo com o tamanho das equipes e complexidade da empresa. Sempre se deve calcular um tempo maior para as discussões do que para a execução da tarefa (se o pessoal é chegado a uma discussão, é informação fundamental para o bom planejamento; isso deve ser levantado com a pessoa da empresa que dá apoio ao evento).

O tempo para debates e consensos deve ser proporcional ao número de equipes. O Quadro 8 serve de base para um *workshop* com 30 pessoas (5 equipes). É importante deixar claro que essas estimativas variam bastante conforme o estilo da empresa (mais ou menos comunicativa) e o clima organizacional atual (colaboradores insatisfeitos tendem a aproveitar a oportunidade para lavarem roupa suja, mesmo que não tenha a ver com as dinâmicas).

Atividade	Início	Término	Duração
Abertura	8h30	8h45	15 min
Dinâmica 1: **Analogia comida**	8h45	9h35	50 min
Dinâmica 2: **Analogia animal**	9h35	10h25	50 min
Dinâmica 3: **Adjetivos**	10h25	10h40	15 min
Dinâmica 4: **Analogia celebridade**	10h40	11h20	40 min
Dinâmica 5: **Referências**	11h20	12h00	40 min
Almoço	12h00	13h30	90 min
Dinâmica 6: **Estudo de caso A**	13h30	14h00	30 min
Dinâmica 7: **Estudo de caso B**	14h00	14h30	30 min
Dinâmica 8: **Anúncio**	14h30	15h00	30 min
Dinâmica 9: **Analogia pessoa**	15h00	16h00	60 min
Dinâmica 10: **Manchete**	16h00	16h30	30 min
Dinâmica 11: **Representação**	16h30	17h20	50 min
Encerramento/avaliação	17h20	17h30	10 min

Quadro 8 – Exemplo de cronograma para o workshop.

PERFIL DO FACILITADOR

Como se pode observar, o método é bastante simples nos seus princípios, mas os resultados dependerão fortemente do perfil do facilitador que irá aplicá-lo.

Seguem algumas características recomendadas para o sucesso da empreitada.

1. Formação acadêmica

É importante que o facilitador tenha o curso superior completo (pode ser em qualquer área, já que o objetivo é que a pessoa aprenda a aprender e consiga estruturar linhas de raciocínio um pouco mais complexas). Como atributo desejável, recomenda-se uma especialização em administração, psicologia, marketing, *design* ou áreas afins.

2. Experiência

Para ser bem sincera, eu não conseguiria facilitar um *workshop* destes aos 20 e poucos anos, recém-saída da universidade. Explico: é preciso que se tenha experiências em empresas ocupando vários postos de trabalho para que se possa compreender melhor a dinâmica dos grupos que participam, principalmente se o *workshop* for realizado com mais de 20 pessoas. Além disso, é imprescindível que se tenha postura e voz firme, além de maturidade para lidar com os conflitos que certamente acontecerão — essas características são adquiridas com o tempo; não vejo outra forma. Não diria que é impossível, pois sempre se pode contar com cursos específicos de moderação, mas pessoas em início de carreira terão muito mais dificuldade para fazer esse trabalho.

3. Comunicação

É imprescindível que o profissional tenha facilidade de falar em público e consiga atrair a atenção da plateia mesmo depois de horas de reunião (experiências anteriores como palestrante ou professor ajudam). Caso o tamanho do grupo seja superior a 25 pessoas, recomenda-se o uso de microfone, uma vez que os trabalhos em grupo e discussões paralelas facilitam a digressão.

Outra prática recomendada é que, no caso de identificar dúvidas com relação ao significado de palavras, o facilitador pare os trabalhos para assegurar que todos entendam o conceito de maneira homogênea. Por exemplo, se as equipes debatem se tal comportamento é ou não inovador, o facilitador deve definir formalmente o conceito de inovação e analisar com o grupo a adequação ou não do adjetivo à questão discutida.

4. Liderança

O facilitador deverá conduzir os trabalhos com firmeza, cuidar para que o cronograma seja cumprido (atrasos podem prejudicar alguns participantes que possuem horário para se retirar) e incentivar os grupos a trabalhar de maneira organizada.

5. Diplomacia

Não raro ocorrem conflitos de toda ordem, já que, em muitas empresas, a luta pelo poder é declarada. É preciso filtrar esses fenômenos e impedir que eles se tornem o foco principal do trabalho. Gênios difíceis, pessoas inseguras, falta de educação, ataques pessoais: tudo pode acontecer. A firmeza e a diplomacia do facilitador é que definirão a dimensão que esses fatos tomarão. Como as perguntas exigem respostas sinceras e verdadeiras, serão comuns decisões politicamente incorretas. Cabe também ao facilitador tratar essas questões com naturalidade, a fim de não dar ênfase excessiva a incoerências ou causar constrangimentos.

Ocorrem situações em que os colaboradores nunca antes tiveram a oportunidade de discutir a empresa na presença de seus gestores. Nessas horas, é comum eles aproveitarem para mostrar os problemas e as insatisfações. Aí é que cabe ao facilitador lembrar ao grupo os objetivos do encontro e sugerir outras reuniões para que esses problemas sejam discutidos.

6. Observação

O facilitador deverá ter sua capacidade de observação muito bem desenvolvida, uma vez que deverá atentar para conversas paralelas, palavras descartadas, comportamentos e atitudes que revelem convicções e contradições.

7. Memorização

Recomenda-se fotografar todo o encontro para registro posterior, tanto cenas da equipe trabalhando como, principalmente, os resultados das dinâmicas (cartazes, painéis, obras etc.).

Pode-se utilizar também uma filmadora ou gravador digital, mas, como a atividade acontece durante um período de tempo longo, esses recursos acabam se apresentando pouco práticos (melhor se utilizados em momentos específicos).

O facilitador deve fazer anotações frequentes sobre impressões e, principalmente, a descrição dos painéis e resultados das decisões. Mesmo com todos esses recursos, é importante que o profissional conte com uma excelente memória a fim de registrar posteriormente com mais exatidão os desfechos das dinâmicas.

8. Organização

O profissional deverá ter um perfil bastante organizado para que o trabalho atinja seus objetivos. A seleção das dinâmicas deverá ser feita com alguns dias de antecedência (os estudos de caso deverão ser adaptados de forma a ser compatíveis com a realidade da empresa), bem como a preparação de todo o material: kits, folha de presença, fichas de avaliação final, folha para elaboração do anúncio, formulário de adjetivos, revistas para serem recortadas, máquina fotográfica com baterias sobressalentes etc.

O cronograma de atividades (com os tempos de cada dinâmica) deverá ser entregue ao responsável na empresa pela organização do evento. Intervalos para almoço e lanches deverão ser combinados previamente e incluídos no cronograma.

Quando o grupo for de tamanho superior a 15 pessoas e, principalmente, quando for uma amostra representativa da empresa (ou seja, existe a possibilidade de que os participantes não se conheçam bem), recomenda-se o uso de crachás com o nome e departamento ou unidade de trabalho.

O facilitador deverá controlar o tempo e sempre chamar a atenção para os prazos. É útil destacar uma pessoa em cada equipe para cuidar desse aspecto, a fim de evitar que o facilitador seja sempre "o chato". O cronograma deve estar afixado em local visível para que todos possam acompanhá-lo e compartilhar dessa responsabilidade.

9. Apresentação

O facilitador deverá ter boa apresentação pessoal (postura, vocabulário, vestimenta, higiene), condizente com o trabalho que realizará. A sua apresentação visual deve comunicar credibilidade e ser compatível com seu discurso, uma vez que, na palestra de sensibilização, ele deverá falar sobre como a imagem é construída e sobre os atributos da identidade. Assim, roupas curtas, justas ou chamativas devem ser evitadas. O nível de formalidade dependerá do tom do evento, mas recomenda-se que o facilitador sempre mantenha certa discrição e postura (resumo: não a chinelos, bermudas e roupas de banho).

10. Redação

É imprescindível que o facilitador possua uma ótima habilidade para redigir textos de maneira sintética, clara e com português correto. Deverá descrever os fatos ocorridos e analisá-los. Sua capacidade de síntese será posta à prova na declaração da identidade corporativa da empresa, resumida em seus atributos essenciais. É desejável também que o facilitador possua senso estético apurado e noções de diagramação, a fim de garantir ao documento uma apresentação compatível com a sua importância.

É interessante que antes de moderar um *workshop*, o facilitador participe de pelo menos um evento como ouvinte ou auxiliar.

CONCLUSÕES

"Os identificadores da identidade devem ser concebidos, portanto, com o dom da ubiquidade: serem compatíveis com todos os discursos."
Norberto Chaves e Raúl Bellucia

SOBRE A IDENTIDADE CORPORATIVA COMO REFERÊNCIA ESTRATÉGICA

Se você leu este livro até aqui, espero tê-lo convencido de que uma empresa que possui informações tão valiosas como sua própria lista de atributos essenciais poderá ampliar muito sua capacidade de alinhar sua comunicação, tanto interna como externa. Se puder contar com uma boa equipe de marketing e gestores perspicazes, também poderá aproveitar as informações adicionais fornecidas pelo *workshop* para tomar decisões estratégicas mais bem fundamentadas.

Além das aplicações óbvias, como o sistema de identidade visual, o *website* e o ambiente, o autoconhecimento pode contribuir muito como apoio à tomada de decisão. Ampliar ou não o portfólio de produtos? Efetuar ou não a compra daquela empresa concorrente? Lançar ou não um produto com apelo popular? Proceder ou não à fusão com a corporação espanhola? Contratar ou não aquele maluco criativo? Permitir ou não que o pessoal trabalhe de bermudas? Certamente, o relatório de identidade corporativa não possui respostas para essas perguntas difíceis, mas pode ajudar a contextualizar melhor o problema; estabelecer limites e afinidades; prever conflitos de temperamentos e estilos.

Gestores com uma visão diferenciada geralmente demonstram preocupação com o crescimento estruturado e bem fundamentado da empresa. Com uma ferramenta desse quilate em mãos, eles são capazes de realmente ajustar a percepção que o mercado possui da organização, uma vez que pode distribuir as "peças" que formam a imagem de maneira mais coerente e organizada. É claro que esse "ajuste" tem variáveis incontroláveis, mas quando a intencionalidade é fundamentada na verdade, a tarefa se torna muito mais factível.

A identidade bem definida e gerida é, certamente, além de uma ferramenta estratégica importante de apoio à tomada de decisão, um ativo intangível muito valioso.

SOBRE O MÉTODO GIIC®

O *workshop* de identidade corporativa é um dos módulos do Método GIIC® — Gestão Integrada da Identidade Corporativa, descrito em linhas gerais no meu livro *Quem sua empresa pensa que é?* (2006). Você também pode saber mais sobre o método completo em artigos e documentos publicados em www.ligiafascioni.com.br.

O GIIC® é organizado em 11 módulos independentes, que podem ser aplicados em qualquer ordem (desde que precedidos pelo módulo Identidade) conforme as prioridades e necessidades da empresa. A ideia é que, uma vez definida a personalidade de uma empresa (Módulo Identidade), ela possa traduzir seus atributos sob 10 perspectivas: Nome, *Webdesign*, Impressos, Atendimento, Apresentações, Ambiente, Pessoas, Comunicação, Identidade Visual e Produtos. Cada módulo trata de um aspecto diferente e é operacionalizado por meio de uma Matriz de Recomendações. A Matriz traduz os critérios relacionados a cada assunto à luz dos atributos essenciais da empresa e serve como referência para todas as ações e comunicações referentes ao aspecto em questão. Para o acompanhamento das práticas, é realizada periodicamente uma auto-avaliação com o auxílio da Planilha de Controle e Monitoramento.

O Quadro 9 apresenta um resumo dos módulos que compõem o método.

Modulo	Descrição
1. Nome	Esse módulo analisa a adequação da atual denominação da empresa (e a dos seus produtos, departamentos etc.) à sua identidade corporativa. A Matriz de Recomendações aponta os aspectos a serem considerados para um melhor alinhamento aos atributos essenciais e considera os seguintes critérios: significados e associações, gramática, idioma, uso de siglas e números, comprimento da palavra e composição.
2. Visual	Esse módulo analisa a atual marca gráfica institucional e dos produtos (se houver) e descreve, na Matriz de Recomendações, a tradução dos atributos essenciais em termos de formas, cores, alinhamento, assinaturas e tipografia. O módulo prevê também o acompanhamento do desenvolvimento ou redesenho da atual marca gráfica, bem como seu Manual de Aplicações.
3. Impressos	Esse módulo descreve, na Matriz de Recomendações, a tradução dos atributos essenciais em termos de fundo, conteúdo/linguagem, tipografia, cores, uso de imagens, papel, identificação de autoria e encadernação. O módulo prevê também o acompanhamento do desenvolvimento de padrões para documentos.
4. *Webdesign*	Esse módulo analisa o atual *website* (se houver) e descreve, na Matriz de Recomendações, a tradução dos atributos essenciais em termos de domínio, conteúdo/organização das informações, uso de imagens, cores, tipografia, usabilidade, relacionamentos, parcerias, compatibilidades, notícias e equipe. O módulo prevê também o acompanhamento do desenvolvimento ou *redesign* do atual *website*.
5. Apresentações	Esse módulo analisa as atuais apresentações institucionais e comerciais da empresa (se houver) e descreve, na Matriz de Recomendações, a tradução dos atributos essenciais em termos de padrão gráfico, estrutura e linguagem do conteúdo, uso de imagens, atitudes e vestimenta do apresentador, administração do tempo e habilidade política e relacionamento com a plateia. O módulo prevê também o acompanhamento do desenvolvimento de um padrão para as apresentações.

6. Ambiente	Esse módulo analisa os ambientes atuais e descreve, na Matriz de Recomendações, a tradução dos atributos essenciais em termos de móveis, cores, iluminação, ruídos, áreas de integração, senso de utilização, senso de organização, senso de limpeza, senso de saúde e senso de segurança. O módulo prevê também o acompanhamento da adaptação do ambiente atual ou projetos de interiores.
7. Comunicações	Esse módulo analisa a comunicação interna e externa e descreve, na Matriz de Recomendações para Comunicação Interna, a tradução dos atributos essenciais em termos de linguagem, mensagem, prazos (antecedência), *feedbacks*/expectativas, posicionamento, compartilhamento de ideias, transparência, além da organização, armazenamento e compartilhamento das informações. A Matriz de Recomendações para Comunicação Externa contempla as áreas específicas de Relações Públicas, Relações com a Imprensa e Propaganda. Os atributos essenciais são traduzidos em termos de confidencialidade, uso da imagem/marca, parcerias, atendimento à imprensa, mensagem, prazos (antecedência e validade da informação), posicionamento em relação aos veículos, comunicação da assessoria com o público interno, organização da informação, responsabilidades, alinhamento ao marketing, parcerias e relações institucionais, objetivos da propaganda, públicos, abordagem, mídia/canais, abrangência, recursos, participação e patrocínio de eventos.
8. Atendimento	Esse módulo analisa as práticas atuais de atendimento ao cliente, bem como as atitudes profissionais predominantes e descreve, na Matriz de Recomendações, a tradução dos atributos essenciais em termos de recepção, telefone, uso de *e-mails* e ferramentas eletrônicas de comunicação, visitas (fazer e receber), cartões de visita, conhecimento de produtos, negociação, organização, relacionamentos, hábitos no local de trabalho, vestimenta, brindes e aspectos éticos.
9. Pessoas	Esse módulo analisa as práticas atuais de gestão de pessoas e descreve, na *Matriz de Recomendações*, a tradução dos atributos essenciais em termos de política de gestão de pessoas, recrutamento e seleção, critérios de remuneração, treinamento e capacitação, ambiência (integração do colaborador ao ambiente de trabalho), ambiente físico (ergonomia, prevenção de riscos, saúde ocupacional, limpeza), tipos de contrato e benefícios.
10. Produtos	Esse módulo analisa os produtos/serviços e descreve, na Matriz de Recomendações, a tradução dos atributos essenciais em termos de conceito, materiais, embalagem, documentação, assistência técnica e suporte, logística e distribuição, treinamento, parcerias e ciclo de vida.

Quadro 9 – Resumo dos módulos que compõem o método.

Por exemplo, o módulo VISUAL trata das marcas gráficas da empresa, tanto a corporativa como as de produtos e serviços. Os critérios tratados são: cores, formas, alinhamentos, assinaturas e tipografia. O Quadro 10 mostra um exemplo de Matriz de Recomendações para o Módulo VISUAL, para que se tenha uma ideia do seu formato.

Critério	Identidade	Recomendações
VIS 1 Formas	Séria	As formas devem ser claras e retas, mostrando seriedade e formalidade. As formas devem demonstrar flexibilidade, adequando-se a tipos diferentes de aplicação. As formas devem ser exatas, simétricas e alinhadas. As formas devem apresentar acentuado grau de pregnância.
VIS 2 Cores	Formal Perfeccionista	As cores devem ser discretas e frias. O tom escolhido não deve ser muito escuro (excesso de seriedade), nem muito chamativo.
VIS 3 Tipografia	Flexível Jovem	As fontes utilizadas devem ser limpas (de preferência, sem serifas). Fontes manuscritas não devem ser utilizadas.
VIS 4 Alinhamentos	Discreta	O alinhamento deve ser claro e a parte visual (se houver), deve ficar do lado esquerdo. Descrições e assinaturas devem constar do lado direito. A composição deve ser visualmente equilibrada.
VIS 5 Assinaturas	Comedida Racional	As assinaturas (*slogans*, locais, divisões) devem ser padronizadas conforme convencionado pela direção e usuários. Preferir linguagem formal e frases curtas (cuidar da revisão gramatical). A assinatura pode ser traduzida em outras línguas, desde que gramaticalmente correta e coerente com a versão original.

Quadro 10 – Exemplo de Matriz de Recomendações para o módulo VISUAL.

Uma das vantagens de se conhecer bem a própria identidade é, nas palavras de um dos clientes, "acabar com o festival de logomarcas (sic)". É que a empresa dele promovia eventos internos e, a cada edição, aparecia alguém com uma ideia brilhante para um "selinho". O *designer* ficava enlouquecido tentando controlar os arroubos criativos de diretores e gerentes (quando não cônjuges, amigos e até os malfadados "sobrinhos"). O resultado era um verdadeiro carnaval que não contribuía em nada para consolidar a marca: na convenção de vendas, o desenho era totalmente orgânico, com uma profusão de curvas desenhadas sobre cores quentes ("para causar impacto", segundo seu criador); no evento de treinamento dos fornecedores, criaram um personagem em forma de robô, para salientar a tecnologia; já no estande de participação em uma feira do setor, o selo promocional usava as cores do arco-íris, para simbolizar a ampla gama de produtos. Além de cara, a prática confundia a imagem da empresa; as peças simplesmente não se encaixavam. A partir da implementação do método GIIC®, todas as propostas de novas marcas passavam pelo crivo da Planilha de Controle (baseada na Matriz de Recomendações). Se a proposta ganhasse uma nota menor que 5 em um dos quesitos, teria que sofrer adaptações até se tornar adequada.

O Quadro 11 traz um exemplo de Planilha de Controle para o módulo VISUAL.

A prática mostra que empresas de menor porte precisam apenas do *Relatório de Identidade Corporativa* para obter um alinhamento satisfatório. Já empresas maiores, com mais funcionários e processos, são mais beneficiadas com a aplicação dos módulos, pois conseguem formalizar procedimentos até então não explicitados, do tipo: posso colocar o porta-retratos do meu filho sobre a mesa de trabalho? Posso ir trabalhar de bermuda? Devo usar efeitos especiais nas apresentações da empresa?

Essas Matrizes de Recomendações, não raro, dão origem a manuais de conduta organizados por tema que facilitam muito o controle das manifestações da organização.

Conclusões

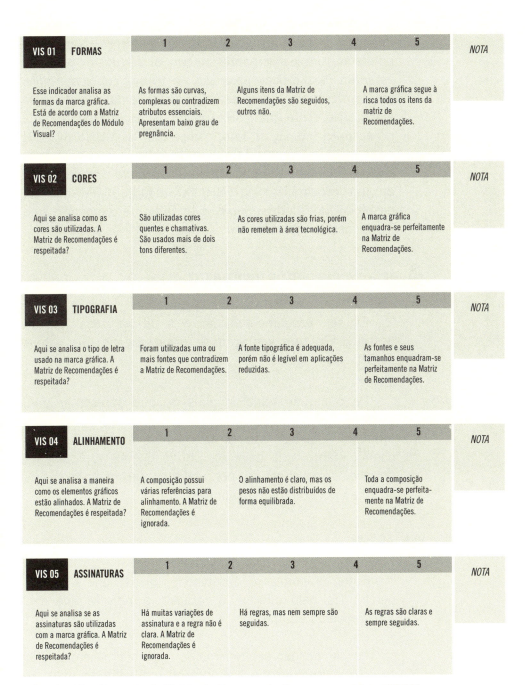

Quadro 11 – Exemplo de Matriz de Recomendações para o módulo VISUAL.

Nada impede, também, que outros módulos sejam criados conforme a necessidade da empresa. Numa das palestras, um participante sugeriu o Módulo SOM, onde estariam as diretivas para uso de trilhas sonoras e sons incidentais para a empresa. Como os demais módulos, a elaboração deste implicaria uma consultoria especializada no assunto (como, de fato, utilizei em COMUNICAÇÕES, onde pude contar com o auxílio jornalistas e publicitários e PESSOAS, em que pude usufruir do vasto conhecimento de um especialista em RH). O módulo SOM não foi desenvolvido ainda apenas por falta de demanda que justificasse o investimento.

SOBRE O *WORKSHOP* DE IDENTIDADE

Eu sei: esse método não é a última Coca-Cola do deserto. Ele tem vantagens e desvantagens que vamos discutir aqui agora.

De qualquer maneira, mais do que apresentar uma proposta para questão da identidade corporativa, a intenção é alertar para a importância estratégica desse conhecimento, que deve ser obtido o mais rapidamente possível, seja por este ou por qualquer outro método que os gestores encontrarem disponível.

VANTAGENS

Entre as vantagens observadas, há três que são mais percebidas pelo cliente: a *rapidez*, a *objetividade* e a *integração* da equipe.

Apesar de não ser tão *rápido* quanto uma entrevista, se considerarmos que o *workshop* reduz muito mais as distorções e se aproxima da realidade com muito mais riqueza de elementos, o método é, sim, bastante rápido. Em cerca de 20 dias, a empresa passa a conhecer a sua identidade (o tempo maior é gasto na elaboração do relatório e na mobilização dos participantes para o evento).

Com relação à *objetividade*, os resultados são muito práticos e objetivos. Em vez do blá blá blá interminável sobre conceitos teóricos que a gente fica se perguntando onde aplicar, aqui o gestor consegue, com um mínimo de perspicácia, encontrar aplicações práticas e imediatas para o relatório que terá em mãos. Por isso, e não por outro motivo, pode-se dizer que o método realmente funciona.

Com relação à *integração* da equipe, esse benefício é mais facilmente observável em empresas menores, onde todos ou uma parte importante dos colaboradores participa do *workshop*. A injeção de ânimo e o sentimento de *ownership*[7] são quase palpáveis. Em muitas ocasiões, quando apresentei os resultados, os funcionários clamaram para que a experiência fosse repetida, de tanto que apreciaram.

Aliás, é interessante, de fato, repetir a experiência periodicamente (de três em três anos, por exemplo); assim, pode-se observar o fortalecimento dos atributos essenciais e a tranformação dos atributos acidentais.

DESVANTAGENS

Uma das maiores desvantagens que observo é que a intenção de fazer algo de baixo custo para resolver o problema de micro e pequenas empresas não foi concretizada.

---

7. É o senso de propriedade, de posse; os colaboradores sentem-se também como donos da empresa.

Para empresas médias e grandes, de fato, o investimento é muito baixo. Mas para as pequenas, esse custo é importante por causa da alta qualificação do facilitador. Pelas competências necessárias para a aplicação do método, não é possível utilizar mão-de-obra em início de formação, como estagiários, *trainees* ou recém-formados.

A oferta de profissionais experientes, com cultura, experiência em condução de trabalhos em grupo e excelente redação não é propriamente farta nos dias de hoje. Se ainda consideramos que ele terá que investir horas na preparação e condução do evento, além da elaboração do relatório (por experiência própria posso dizer: é praticamente um parto, ainda mais pela responsabilidade implícita que ele carrega), conclui-se que isso não ficará muito acessível a uma empresa em formação. Outro aspecto a considerar é que o trabalho para se conduzir um *workshop* e elaborar um relatório para uma empresa de 20 colaboradores não é assim tão diferente de uma empresa com 500 ou 5.000 funcionários. No que se conclui que atender empresas maiores é muito mais interessante do ponto de vista financeiro, apesar de ser equivalente do ponto de vista de experiência em consultoria.

Tentei desenvolver uma versão "light" do método, mas a redução das distorções fica reduzida também, prejudicando o resultado final. Outra ideia é substituir o *workshop* real por um virtual, onde as perguntas são respondidas pela internet por colaboradores cadastrados. Mesmo assim, a parte mais pesada do trabalho, que é a elaboração do relatório, continua a mesma.

Outra questão é a dificuldade de se sensibilizar os empresários para um trabalho desse tipo, uma vez que o contato inicial geralmente ocorre quando a organização necessita de um serviço de *design* gráfico (sempre urgente) e a definição da identidade não resulta numa marca nova (o trabalho precisa ser contratado posteriormente com um *designer*).

Mas de todas as desvantagens, a maior, na minha opinião, é o peso da cultura e da experiência do facilitador no resultado final. Por mais que o método esteja definido e mapeado, ainda estamos lidando com questões muito subjetivas; a sensibilidade e os filtros pessoais do facilitador podem influenciar enormemente a interpretação das dinâmicas e impactar na seleção dos atributos essenciais.

De qualquer maneira, o que se pode dizer até aqui é que, apesar das inúmeras oportunidades de melhoria, os resultados que se conseguiu até o momento foram excelentes. Os *feedback*s dos clientes comprovam que o trabalho tem proporcionado muitos benefícios para as empresas que já aplicaram.

Um dos objetivos de compartilhar o que foi feito até o momento é justamente propiciar que outras pessoas possam contribuir para a melhoria do método e aprimorá-lo.

ANEXOS

PERGUNTAS MAIS FREQUENTES

Essas são algumas das perguntas mais frequentes nas palestras, cursos e consultorias a respeito do tema identidade corporativa e o Método GIIC®.

1. Qual a diferença entre identidade e imagem corporativa?

Identidade corporativa é o que a empresa é. Imagem corporativa é o que a empresa parece ser. A identidade é definida pelo conjunto de características que faz com que uma empresa seja diferente das outras, única, especial. Já a imagem está na cabeça das pessoas e é montada como se fosse um quebra-cabeça, sendo que a empresa é quem distribui as peças. Cada contato que a pessoa tem com a organização fornece mais uma peça. Se as ações e comunicações não são coerentes e alinhadas entre si, a imagem da empresa acaba sendo construída por peças que não se encaixam, gerando confusão e desconfiança.

2. Então, identidade corporativa é a mesma coisa que marca corporativa?

Não. Os conceitos de identidade e marca são completamente diferentes. A marca é uma entidade concebida unicamente com o intuito de seduzir, de conquistar. Portanto, possui só características positivas. Já a identidade é o que a empresa é, não o que ela gostaria de ser, possuindo atributos positivos, mas também desagradáveis, pois nenhuma empresa é perfeita. Pode-se dizer que a marca é a parte "bonita" da identidade corporativa.

3. Então pode-se dizer que a identidade corporativa é a logomarca?

Também não. A identidade é um conjunto de características que fazem uma empresa ser diferente das outras. Aquilo que se conhece popularmente como logomarca é um desenho com o nome da empresa, ou seja, a sua representação gráfica. São, portanto, duas coisas completamente distintas. A representação gráfica é apenas uma das muitas manifestações físicas da identidade e pode tanto estar bem ajustada como completamente equivocada. Quando se muda a representação gráfica de uma empresa, de maneira nenhuma ela passa a ser outra empresa. Suas características essenciais continuam as mesmas.

4. Identidade corporativa é o mesmo que valores da empresa?

Não. A identidade e os valores podem ter atributos em comum, mas são conceitos diferentes. Vale lembrar que a definição de valores, no contexto do planejamento estratégico, é "aquilo que é importante para a empresa, seus princípios". A identidade, como já dito, é um conjunto de atributos, mas alguns deles não são motivo de orgulho (lembre-se de que ninguém é perfeito), e não necessariamente precisam ser destacados. Vejamos um exemplo: se uma organização é basicamente conservadora nas suas práticas, isso faz parte da sua identidade e do seu modo de ser, mas ela não precisa comunicar com ênfase em sua declaração de valores "o importante mesmo para nós é sermos conservadores", você não acha?

5. Como se define a identidade corporativa de uma empresa?

Costuma-se perguntar diretamente aos principais executivos, porém, essa prática não é recomendada porque pode incorporar muitas distorções. Isso acontece porque os gestores possuem uma visão parcial da empresa e a enxergam de um único ponto de vista. Para obter uma lista de atributos mais acurada e fiel à identidade, o método GIIC® – Gestão Integrada da Identidade Corporativa – prevê, em seu módulo Identidade, um *workshop* especialmente desenvolvido para esse fim. O trabalho inclui a participação de todos os colaboradores da empresa em regime de imersão e dura um dia inteiro.

6. Os estagiários também devem participar do *workshop*?

Sim. Não apenas os estagiários, como o pessoal da limpeza e vigilância e aquele povo que nunca é ouvido nas reuniões de planejamento. Eles também distribuem peças que constroem a imagem da empresa. O ponto de vista deles é muito importante para ajudar a definir a identidade corporativa.

7. E se a empresa tiver muitos funcionários?

Nesse caso, há várias maneiras de se resolver a questão. Uma delas é fazer apenas um *workshop* com amostra representativa dos colaboradores, selecionando pessoas de todas as funções e escalões. Outra é segmentar a empresa em unidades de negócio, departamentos, seções, ou como seu corpo gerencial melhor entender, e realizar *workshops* parciais. Essa solução, apesar de mais demorada, retrata a empresa de maneira mais precisa e completa. Nesse caso, os *workshops* fornecerão um extraordinário material de apoio à tomada de decisão, pois os gestores conhecerão em detalhes as características próprias de cada parte da organização. Um relatório conclusivo fornecerá os atributos essenciais da organização, resultado da intersecção de todos os relatórios parciais.

8. O workshop substitui o plano estratégico ou o plano de comunicação?

O *workshop* não substitui nenhuma das ferramentas de gestão existentes, já que ele fornece informações que nenhuma outra contempla. O *workshop* é sim um valioso complemento para essas técnicas e deve ser realizado antes delas para que possa fundamentá-las. Certamente, a missão, a visão e os valores da empresa ficarão muito mais claros e coerentes de serem definidos por uma empresa que conhece bem seus atributos essenciais.

9. O que a minha empresa ganha realizando um workshop de identidade corporativa?

O worskhop permitirá que a sua empresa conheça as suas características mais essenciais, aquelas que a fazem diferente das demais. Com essa informação, fica muito mais fácil ser coerente em todas as suas ações e comunicações, economizando o dinheiro que seria gasto em campanhas que não contribuem para a construção de uma imagem confiável e potencializando os investimentos de maneira a obter mais lucros. Além disso, os gestores conhecerão de uma maneira nunca antes vista o que seus colaboradores pensam a respeito da empresa.

10. E se a minha empresa ainda está começando e ainda não tem funcionário nenhum? Ela já tem identidade ou é melhor esperar crescer um pouco?

Utilizando a metáfora corrente nesse livro, mesmo um feto já possui DNA. Portanto, a empresa já nasce com sua identidade corporativa, mesmo que tenha apenas dois sócios. Nesse caso, o *workshop* será feito apenas com eles (eventualmente, podem convidar parceiros próximos). É claro que, quanto menos coordenadas se possui, menor é a precisão da análise, mas ainda assim é possível. Pode ser um belo ponto de partida e, quando a empresa estiver mais estruturada, recomenda-se outro *workshop* para confirmação do "exame".

PARA SABER MAIS

ADE, Gerhard. *Brand and identity:* the basics. Disponível em <http://www.brandtutorial.com/identitybasics>. Acesso em: 23 fev. 2009.

ALBERT, S.; WHETTEN, D. *Organizational identity.* In CUMMINGS, C. C.; STAW, B. M. (Eds.) Research in organizational behaviour. V. 7. Greenwich, CT: JAI Press, 1985. p. 63-76.

BALMER, J. MT. *Identity based views of the corporation:* insights from corporate identity, organisational identity, social identity, visual identity and corporate image. European Journal of Marketing, v. 42, n. 9 & 10, p. 879-906, 2008.

BALMER, John; WILSON, Alan. *Corporate identity and the myth of the single company culture.* University of Strathclyde International Centre for Corporate Identity Studies, Working Paper Series,1998.

BAUMAN, Zygmunt. *Identidade*: entrevista a Benedetto Vecchi. Rio de Janeiro: Jorge Zahar Ed., 2005.

BRANDT, Marty; JOHNSON, Grant. *Power branding*: building technology brands for competitive advantage. [s.l.] : Probrand, 1997.

CAPRIOTTI, Paul. *Gestión de la marca corporativa.* Buenos Aires: La Crujía, 2007.

CAPRIOTTI, Paul. *Planificación estratégica de la imagen corporativa.* 2. ed. Barcelona: Ariel, 2005.

CHAUI, Marilena. *Convite à filosofia*. 13. ed. São Paulo: Ática, 2005.

CHAVES, Norberto; BELLUCCIA, Raúl. *La marca corporativa*: gestión y diseño de símbolos y logotipos. Buenos Aires: Paidós, 2003.

CHAVES, Norberto. *La imagen corporativa*. Barcelona: Ediciones G. Gilli, 1999.

CHESTON, Allison. *What is next in corporate and brand identity design*. Design Management Journal. Boston: The Design Management Institute Press, Winter 2001.

COSTA, Joan. *Imagen corporativa en el siglo XXI*. Buenos Aires: La Cujia, 2003.

COSTA, Joan. *La imagen de marca, un fenómeno social*. Barcelona: Paidós, 2004.

FASCIONI, Lígia C. *Indicadores para avaliação da imagem corporativa das empresas de base tecnológica instaladas na Grande Florianópolis baseados nas análises das percepções gráfica e verbal utilizando lógica difusa*. Tese (doutorado), Engenharia de Produção e Sistemas, UFSC, 2004. Disponível em www.ligiafascioni.com.br.

FASCIONI, Lígia. *Quem a sua empresa pensa que é?* Rio de janeiro: Ciência Moderna, 2006, 124 p.

FOMBRUN, Charles J.; FOSS, Christopher B. *The reputation quotient*, part 1. The Gauge, Delahaye Medialink's Newsletter of Worldwide Communication. V. 14, n. 3, 14th May 2001.

HATCH, Mary Jo; SCHULTZ, Majken. *Relations between organizational culture, identity and image*. European Journal of Marketing. V. 31, n. 5/6, 1997. MCB University Press. p. 356-365.

IZETA, Jesús María Cortina. *Identidad, identificación, imagem*. México: Comunicación Total, 2006.

KIRIAKIDOU, Olivia; MILLWARD, Lynne F. *Corporate identity: external reality or internal fit?* Corporate Communications: An International Journal. MCB University Press, v. 5, n. 1, ps. 49-58, 2000.

LEVITT, Theodore. *Marketing myopia*. Harvard Business Review, July/Aug 1960.

MINGUEZ, Norberto. *Un marco conceptual para la comunicación corporativa*. Revista de Estudios de Comunicación, n. 7, maio 1999, Bilbao.

ROSA, Mario. *A reputação na velocidade do pensamento*: imagem e ética na era digital. São Paulo: Geração Editorial, 2006.

www.dmi.org
www.joancosta.com
www.wolffolins.com
www.ligiafascioni.com.br
www.ci-portal.de

www.identityworks.com
www.corporateidentitydesigner.com
www.cidoc.net
www.explainingcorporateidentity.com